El algoritmo del amor

UN VIAJE A LAS ENTRAÑAS DE TINDER

Judith Duportail

CONTRA

Judith Duportail (Francia, 1986) es periodista *freelance*. Se ha especializado en temas que abordan cómo la tecnología ha adulterado las relaciones sentimentales y la libertad. Forma parte del colectivo de periodistas Journalopes, nombre que enarbolan provocativamente a partir de un insulto que inventó la extrema derecha francesa y que surge de la colisión entre *journaliste* (periodista) y *salope* (puta). Ha escrito para *Aeon*, *The Guardian*, *Slate*, *Philosophie Magazine*, *Les Inrockuptibles* o para el periódico suizo *Le Temps*, entre otros muchos medios. Es coautora del libro de recetas de cocina humorístico *20 Recettes pour Conclure*. *El algoritmo del amor* es su último libro.

🐦 @judithduportail

A mi querido padre,
fallecido entre los capítulos 2 y 3.
Te había prohibido leer este libro.
Tú me respondiste:
«¡Estupendo! ¡Jamás un buen libro
se escribió para satisfacer a los padres!»

CAPÍTULO 1

5 estrellas en Blablacar

He llegado pronto a la clase de GAP y me apoyo contra la pared mientras espero. El chirrido que hacen las zapatillas en el linóleo me recuerda a las clases de educación física del colegio, cuando nos tocaba esperar en el pasillo sin calefacción del gimnasio para pasar una hora interminable jugando al balonmano u otros deportes de equipo que odiaba. Solo que aquí la temperatura es la correcta y yo soy la única que aún va vestida como en el colegio. Desentono entre chicas con trenzas impecables que se balancean tras ellas cuando corren por la esterilla con la agilidad de una gacela.

Intento dejarme caer despacio por la pared para sentarme en el suelo, pero la camiseta se me engancha con la esquina del tablón de anuncios. Al principio no me doy cuenta, y eso que a medida que bajo tiro del tablón y se me sube la camiseta. Me quedo clavada a medio camino, en la postura de la silla, desconcertada durante unos segundos sin entender por qué tengo la barriga al aire. Una chica a la que no me atrevo a mirar me libera con un «Disculpe, se le ha enganchado la camiseta». *¡Disculpe!* Estamos en 2014, tengo veintiocho años y ya me tratan más de usted. Cada vez que lo hacen, me duele un poco, como una astilla clavada en el pie.

Cuando por fin me instalo en el suelo, saco el móvil para disimular. Esa mañana me he descargado Tinder, la aplicación para ligar creada en 2012 y que llegó a Francia en 2013. Se ha vuelto popular muy rápido gracias a un diseño eficaz: no hace falta explayarse, si la persona te gusta, basta con deslizar el perfil a la derecha para seleccionarlo, o a la izquierda para rechazarlo. A este gesto con el pulgar o el índice se le llama *swipe*. Si a la persona que te ha gustado también le gustas tú, hacéis un *match* y podéis hablar. Si no, no pasa nada.

Tinder y matrícula del gimnasio, todo el mismo día. «El paquete posruptura perfecto», le he dicho a mi amiga Zoé[1] por Facebook Messenger, con una seguridad fingida a la altura de mi reparo. Tinder y el gimnasio estarán para siempre asociados en mi mente con la convicción de que voy a tener que currármelo, mejorar para marcar la diferencia.

Se me ocurrió el sábado por la mañana tras ver un anuncio de un centro deportivo en Facebook. Lo más probable es que no fuera casualidad. En febrero de 2017, Facebook publicó en su página web para empresas, Facebook IQ, un artículo de investigación[2] sobre el comporta-

---

1. Nombre ficticio. [*Todas las notas son de la autora, salvo que se especifique lo contrario.*]
2. «What Mends a Broken Heart on Facebook», *Insights.fb.com*, 3 de febrero de 2017 (artículo no disponible en la actualidad).

miento de sus usuarios tras una ruptura. El artículo ya no está disponible, pero aún se puede consultar gracias a la cantidad de medios que se hicieron eco[3]. La red social se dirigía a los anunciantes para explicarles por qué era una buena idea comprar publicidad dirigida específicamente a los internautas que han sufrido una ruptura: los que se encuentran en esta categoría están más dispuestos a «probar cosas nuevas o buscarse una nueva afición», explica Facebook. La prueba: un 55 % de los usuarios registrados en Facebook han realizado un viaje largo tras una ruptura.

Bueno, vale, no necesitábamos ni a Facebook ni a sus estudios para saber que una persona afligida está predispuesta a hacer cambios en su vida. Preguntad en una peluquería cuántas clientas se tiñen el pelo tras romper con su pareja. Pero Facebook lleva el concepto un poco más allá. Es como si la red social proporcionase a la peluquería una lista de las personas que se acaban de separar.

Aún quedan quince minutos para que empiece la clase, tengo tiempo. Me meto en Tinder por primera vez. La aplicación me pide que elija fotos de Facebook para ilustrar mi perfil. Repasarlas me tranquiliza, no soy solo esta gordinflona con camiseta grande y unas mallas tan viejas que se puede ver el elástico a través del tejido. Aquí sentada me siento como un alga, un alga extraña con elásticos por follaje, un alga informe de los fondos marinos que las corrientes atraviesan impávida. En todas estas imágenes tengo la misma sonrisa, una postura que realza mi cuerpo,

---

3. En Francia, uno de los artículos que recogieron el estudio con mayor detalle fue «Comment Facebook commercialise vos chagrins d'amour», *Capital.fr*, 6 de febrero de 2017 (en línea).

el pelo como a mí me gusta; ni flequillo torcido ni mecho-
nes encrespados, sin michelines en la tripa o celulitis en los
muslos.

Me cuesta creer que soy la misma persona, que soy a
la vez esta alga y ese yo idèal. Intento decidir cuáles elegir
para esconder lo mejor posible mis fondos marinos glacia-
res, los abismos en los que evolucionan mis pensamientos
más sombríos, los más vergonzosos y los más repugnantes,
como esos peces monstruosos que nunca ven la luz del día
y viven escondidos en los pecios. Cuando me río delante
de la Tate Modern, el museo de arte contemporáneo de
Londres, con esa bonita bufanda azul eléctrico, ¿se ven
los calamares gigantes de mis neuras? Y cuando remuevo
aquel vino caliente con un gorro de Mamá Noel, ¿parezco
estar necesitada de amor?

Me paro delante de una foto en la que estoy en una
canoa, melena al viento, y no se me ve la grasa de los
brazos. Me da una punzadita, mi ex sacó esa foto. ¿Puedo
usarla en Tinder? Probablemente no. Pero la foto es tan
bonita… «Si encuentro a mi nuevo amor gracias a esta
foto, será como un regalo que me hace», me digo para
convencerme, un cuento para maquillar mi falta de deli-
cadeza.

En mi perfil de Tinder aparecen mi edad y mi profesión, información importada directamente de Facebook.
Escribo «5 estrellas en BlaBlaCar» en el campo «Sobre
mí». Estoy orgullosa de mi ocurrencia. Todas las chicas
solteras en torno a los treinta saben que tienen que ser
inteligentes para no terminar con la etiqueta de ser una
Bridget Jones. Quiero demostrar que soy plenamente
consciente de que esto es un supermercado del ligoteo y
que me hace gracia, estoy de vuelta de todo. En la solte-

ría hay ganadores y hay perdedores —lo deploro, pero lo
sé—, las que controlan y las que sufren. Y si espero poder
ligar, incluso por una noche, incluso por una hora, tengo
que pertenecer a la primera categoría. Para eso, nada
mejor que mirar el mundo por encima del hombro con
cierta ironía.

De todas formas, la verdad, no me apetece encontrar a
alguien enseguida para una relación seria. Acabo de mu-
darme a un piso compartido, fantaseo con una vida llena
de frivolidades, de rollos de una noche, de morreos en el
asiento trasero de un taxi parisino, de noches de baileteo y
mañanas en la cama.

Al salir del gimnasio me compro ropa deportiva en
American Apparel. Las mallas y la camiseta de tirantes
básicas negras más caras que he comprado jamás. Me da
igual, necesito el uniforme. En la cola de la caja me conecto a Tinder.

¿En serio? ¿Esto es de verdad? Tengo un montón de
likes... ¿Le gusto a todos estos hombres? Todos estos
morenos, rubios, barbudos, gafapastas (aún no se lleva
el gorro con vuelta), ligones veinteañeros y treintañeros,
¿todos me han dado *like*? En realidad, no tiene nada de
excepcional: casi todos los hombres deslizan a la derecha
a todas las chicas y hacen la criba después, o al menos eso
hacían hasta que Tinder limitó los *likes*. Pero me trago la
mentira, ¡y qué mentira tan deliciosa! Dejo que se me suba
el chute de narcisismo como si me hubiesen metido droga
por la vena. ¡Le puedo gustar a un montón de chicos!

Vuelvo a mirar las fotos de mi perfil y, la verdad, lo entiendo. Estoy muy, pero que muy bien. Tengo mariposas
en el estómago, como si me estuviera enamorando. Pero
no soy la única que busca consuelo en el reflejo negro

del teléfono: según un estudio[4], las mujeres suelen utilizar Tinder para mejorar su autoestima, mientras que los hombres buscan una cita o un rollo de una noche.

Al principio, me sentí transportada. Cada *match* llega, como una microtirita, a colmar los abismos de mi ego. Cada notificación alimenta mi autoestima. Me descargo todas las aplicaciones de contactos. Happn es la competidora francesa de Tinder. La app funciona de manera algo diferente, y se inclina por ponernos en contacto con la gente que nos hemos cruzado y no nos atrevimos a abordar. Aquí no se le da a la derecha o a la izquierda, solo tenemos una lista de todas las personas que están cerca. OkCupid, que pertenece a Match Group —la casa matriz de Tinder—, también tiene una versión web en la que hay que rellenar un perfil más clásico y responder a preguntas sobre nuestra personalidad. AdoptaUnTío, la pionera app francesa, lleva desde el 2007 quitándole hierro a las citas por internet y reivindicándose «feminista» con una campaña de marketing que presenta a las mujeres haciendo la compra en una tienda de hombres.

Mi preferida sigue siendo Tinder, por el cosquilleo que siento con cada *match*. Todas las mañanas, me despierto y agarro el teléfono antes incluso de salir de la cama: quiero saber *cuántos* me han escrito.

Encadeno las citas. Desarrollo una técnica. Siempre concierto las citas con algo que hacer después. Por ejemplo,

4. Giulia Ranzini, VU University Amsterdam, Holanda, y Christoph Lutz, BI Norwegian Business School, Noruega, «Love at First Swipe? Explaining Tinder Self-Presentation and Motives», *Mobile Media & Communication*, vol. 5, 2017.

quedo para un aperitivo a las 7, pero dejo claro que tengo un cumpleaños o una cena a las 8:30. Así me dejo una puerta de salida si me aburro o si estoy incómoda, pues, para ser sincera, así es casi siempre. Me digo que, si el tío me gusta, siempre tendré tiempo de quedar una segunda vez.

Por mucho que me divierta tener Tinder en el teléfono, cuando tengo una cita en una cafetería, tengo la sensación de que todo el mundo sabe que nos hemos conocido en internet y, de alguna manera, aún me da vergüenza. Además, no es tan fácil entablar conversación con un perfecto desconocido. Siempre cuento las mismas cosas: «Sí, sí, pasé mi infancia en la Bretaña, vine a París cuando terminé el instituto. ¿Y tú? ¿Dónde pasaste la infancia?». «Sí, soy periodista, pero no, no te preocupes, ¡no estoy escribiendo un artículo sobre ti!» (Bueno… esa respuesta no es del todo cierta.) Yo, que soñaba con besos apasionados en el umbral de mi puerta, por ahora parece que estoy encadenando entrevistas de trabajo. Pero me da igual, porque tan solo estoy probando mi poder de seducción. Mi autoestima sigue engordando.

Ya no creo que mi ropa desentone en el gimnasio, con mis zapatillas rosas a juego con mi top. Sigo consultando la aplicación entre clases y me acuerdo, casi con lástima, de la primera vez que vine.

Allí estoy un viernes por la tarde, sentada en la escalera, la botella de agua a mi lado, chateando con cuatro, cinco, seis hombres a la vez de los que ya no me acuerdo. Me siento tan poderosa, una experta del juego, como esas mujeres cuyas vidas imaginaba de niña cuando le birlaba la *Elle* a mi madre y leía los testimonios de «Chloé, treinta y uno, jefa de prensa», quien «nos cuenta con una sonrisa, antes de salir pitando a la oficina, *pumpkin latte* en mano, que no tiene tiempo para el amor». O cuando escuchaba las canciones de Vincent Delerm sobre las chicas de 1973 que tuvieron treinta años cuando yo tenía diecisiete.

Desde mi primer día en Tinder, ya no me veo como una fracasada en el amor. Durante toda mi relación anterior, viví en la cuerda floja: aterrorizada, celosa, a la espera y, además, culpable de sentirme celosa. Incluso antes de mi ex; desde que tengo memoria, en realidad, nunca he estado del lado bueno. Ahora tengo la sensación de ser de las que tienen los mapas, los códigos; de ser una mujer alfa entre las lobas, una líder de la manada; de no ser ya la que espera, febril, respuestas a sus mensajes, la que corre detrás. Al fin, he purgado mi ser de sus calamares gigantes... «Eres del selecto club del 1 % de las guapas, de las que lo tienen todo», me dice un hombre por mensaje; y lo peor es que me encanta. Por fin estoy del lado bueno de la jerarquía, del lado bueno de la *Ampliación del campo de batalla*.

A fuerza de darlo todo en el gimnasio, me pongo en muy buena forma. En primavera hago realidad uno de mis mayores sueños, me compro un vaquero *slim* de la 36. Un vaquero azul claro de Zara que me seguiré poniendo incluso cuando me quede demasiado pequeño. Para algunas chicas, esto no es más que una talla de pantalón, pero, para mí, es el santo grial. Tengo lágrimas en los ojos al salir de la tienda. Me hace sentir por lo menos tan feliz como cuando me saqué el bachillerato, cuando entré en Ciencias Políticas, cuando me dieron el carné de conducir, cuando me fui a vivir a mi primer apartamento sola o como cuando me publicaron un artículo por primera vez, y no veo qué tiene de malo.

No estoy hablando del placer de hacer deporte, de terminar una carrera, de superarse o qué se yo. No, no, ese día lloro de felicidad porque la talla de mi culo se corresponde, por fin, con la talla oficial del culo bonito. Fui una niña regordita y me siento como si me vengara de todos los brutos del patio del recreo.

No me doy cuenta de que no me estoy vengando, sino que más bien me uno a su cohorte. Yo también me insulto, insulto a la mujer que era hace solo unas semanas, la que usaba una 40, y la que volveré a ser muy pronto, evidentemente. Al mismo tiempo, también insulto a todas las mujeres que no usan la 36, porque me siento superior a todas ellas. Sí, sí, tengo que ser sincera, me regodeo. Lloro de alegría cuando tiro la toalla: acabo de ratificar el hecho de que gastar dinero, tiempo y energía para doblegarme a las normas que me imponen es decisión mía. Me hace tan feliz adaptar mi cuerpo para que sea un objeto que ni se me ocurre que son los objetos los que se tienen que adaptar a mí. Lloro de alegría cuando comprendo tiempo después que jamás me he faltado tanto el respeto. Soy la pelele del patriarcado, ansiosa por mostrar mi conformismo meneando la colita, la buena alumna del capitalismo sexual, pero no me planteo ninguna de estas cuestiones porque, a fuerza de chapotear en mi subidón de ego como una cerdita en el barro, me he anestesiado el cerebro.

Pronto llegará el bajón.

CAPÍTULO 2

Puntuación secreta

En *Figaro.fr*, donde trabajé durante tres años, la reunión de redacción empieza a las 8:45. Yo llego un poco antes para que me dé tiempo a consultar la actualidad y así poder proponer temas. Esa mañana, paso revista a los sitios de noticias americanas con la esperanza de encontrar algo que pueda contar en la reunión. Termino con las manos vacías, pero un artículo de *Fast Company*, una web estadounidense de negocios, me llama la atención.

«Me arrepiento de haber descubierto mi puntuación secreta de deseabilidad en Tinder.»[5] Austin Carr, el autor de la pieza (artículo, en argot periodístico), se reunió con Sean Rad, cofundador y CEO de Tinder, cuando estaba escribiendo un reportaje sobre la empresa. Cuenta que entonces descubrió la existencia de un sistema de clasifica-

---

5. «I Found Out my Secret Internal Desirability Score and Now I Wish I Hadn't», *FastCompany.com*, 11 de enero de 2016 (en línea).

ción interna de los usuarios de Tinder y que, durante una
cena con Sean Rad, este se jactó de tener mejor puntuación que nadie.

Entonces, cada usuario de Tinder recibe una puntuación según su atractivo. ¿Cómo? Sabía que Uber puntuaba
a los pasajeros —de hecho, a menudo comparo mi nota
con la de mis amigos por diversión—, pero ¿Tinder también?

«No es un simple indicador de la belleza», explica Sean
Rad en el artículo. «No se trata solo de calcular cuántas
personas deslizan tus fotos a la derecha. Es un sistema
muy complejo para evaluar la deseabilidad de un perfil.
Construir este algoritmo nos ha llevado dos meses y medio porque tiene en cuenta muchos factores.»

Cada usuario posee una «puntuación Elo», un término
cuyo origen se encuentra en el sistema mundial de clasificación de los jugadores de ajedrez. Forma parte de una
rama específica de las matemáticas (la teoría de juegos)
que estudia e intenta modelar las decisiones que toman
los individuos en sus interacciones.

Esta clasificación la desarrolló a principios del siglo xx
Arpad Elo, un profesor de física estadounidense de origen
húngaro y gran jugador de ajedrez. En este sistema se han
basado muchos modelos de clasificación para juegos, como las competiciones de Scrabble o backgammon, inclui-
dos algunos deportes. La FIFA anunció en junio de 2018
que iba a cambiar su sistema de clasificación de jugadores
e implantar este sistema.

La puntuación Elo es un nivel que se otorga a cada individuo en función de su historial de resultados en un ámbi-
to dado. Por ejemplo, un jugador de fútbol recibe puntos
cuando marca un gol o gana un partido. Pero como es

más difícil ganarle al Bayern Munich que al Nantes, no todos los partidos que gana valen la misma cantidad de puntos. Cuanto más difícil sea, ¡más gana! Y viceversa si pierde contra un equipo considerado de menor nivel.

«En el videojuego *World of Warcraft*, cuando te enfrentas a alguien con una puntuación muy buena, obtienes más puntos que si te enfrentas a alguien con una puntuación no tan buena», explica en el artículo de *Fast Company* el responsable de producto de Tinder. Lo que tenemos que entender es que, cada vez que se muestra tu perfil a una persona, se juega un minitorneo, como un partido de fútbol o una partida de ajedrez. Es más, el responsable de producto de Tinder lo precisa en el artículo: cuando se muestra tu perfil a una persona, se te está emparejando «contra» ella. Si la persona «contra» ti tiene un nivel alto y le gustas, ganas puntos. Si tiene un nivel bajo y te ignora... los pierdes.

Al llegar a este punto del artículo, estoy furiosa. ¿En qué momento, al crear la cuenta, nos avisa Tinder de que la aplicación se vuelve una competición? ¿Cómo se calcula mi nivel? ¿Al principio? Como usuarios, ¿nos interesa este sistema? ¿Por qué no podemos acceder a esa puntuación?

El resto de la lectura me deja hecha polvo. Tras dejar bien clara su complicidad con Sean Rad, que se pasa la noche «provocándolo», el periodista termina en la sede de Tinder para consultar su puntuación. En ningún momento se cuestiona la legitimidad o la legalidad de una clasificación como esta. Tras cada una de sus palabras, yo leo mi exclusión —nuestra exclusión— de un pequeño círculo de Silicon Valley que «se provoca» mientras cena antes de revelarse información que nosotros, simples usuarios, ignoramos incluso que existe. Austin Carr se reúne con el equipo de análisis de datos y pregunta al equipo: «La información que me vais a mostrar, ¿minará mi ego?».

¿Nada más? ¿Solo pregunta eso? No: «¿Cómo se evalúan los perfiles?»; «¿Por qué?»; «¿Dónde se almacenan esos datos?»; «¿A quién pertenecen?»; «¿Durante cuánto tiempo los conserváis?»; «¿Los vendéis a agencias de publicidad?». Porque, mira por dónde, algo me dice que disponer de un listado de mujeres que se pasan el día en Tinder recibiendo calabazas puede ser de interés para marcas de cosméticos, cadenas de gimnasios o incluso para otras páginas de contactos, que podrán entonces llamar su atención con una campaña de publicidad selectiva: «¿Aburridas de Tinder?».

Me levanto para participar en la reunión de redacción. No escucho a nadie y no propongo ningún tema; me siento culpable, pero no dejo de pensar en esta historia de la puntuación. Saco el teléfono para seguir leyendo el artículo a escondidas.

«¿De verdad lo quieres saber? No sé…», le dice Solli-Nowlan, del equipo de análisis de datos. «Acceder a tus datos personales no es nada trivial. Sabrás cuántos perfiles te han gustado, pero también cuántos han deslizado el tuyo a la izquierda.»

Austin Carr tiene una puntación de 946, que es «media-alta». No se sabe realmente a qué corresponde ese 946. ¿Sobre cuánto? ¿Cuál es la escala? Puesto que nuestra puntuación evoluciona cada vez que alguien ve nuestro perfil, ¿cuántas veces por día, por hora, por minuto, por segundo incluso, se actualiza? Las preguntas siguen sin respuesta, pues el artículo se ha construido alrededor del ego de su autor, quien afirma haber salido mal parado de la experiencia y lamenta haber preguntado su puntuación.

Me pregunto si una mujer periodista habría reaccionado igual. ¿No estamos ya acostumbradas a que nos evalúen por nuestro físico? Según un estudio realizado por la universidad de North Texas[6], las aplicaciones para ligar como Tinder afectarían al ego de los hombres al ponerlos en una «situación femenina». «Los hombres se encuentran en una situación que las mujeres viven a menudo: que los evalúen o juzguen solamente por su apariencia», explican los investigadores. Por su parte, las mujeres han interiorizado unos cánones de belleza inalcanzables y, por ello, sufren durante años problemas de autoestima y tienden a «autoobjetivarse».

Me acuerdo muy bien de mi primera experiencia de «autoobjetivación». Tengo quince años. Zoé, a quien conozco desde los trece, me ha escrito una carta. Cada vez que estamos lejos durante las vacaciones escolares, nos escribimos largas cartas con boli rosa, azul o verde en nuestros blocs, y cambiamos de color de boli según escribimos. Yo estaba —y aún lo estoy— un poco celosa de la belleza y de la confianza en sí misma de Zoé.

Hemos ido de vacaciones a esquiar. Mis padres están haciendo la compra y yo espero en el coche, encantada de poder leer tranquila la última carta de Zoé, a la luz de las tiendas de este pequeño pueblo encaramado a la ladera de la montaña. Aún hace calor en el coche, mientras que en la calle la temperatura está bajo cero. Poco a poco, siento cómo el olor del frío entra en el vehículo por los intersti-

6. Jessica Strübel y Trent Petrie, University of North Texas, *Love Me Tinder: Body Image and Psychosocial Functioning Among Men and Women*, 21 de junio de 2017.

cios de la puerta. Pronto, mi respiración formará vapor, incluso ahí dentro. Sonrío sin parar porque me acaban de quitar los aparatos y estoy «muy orgullosa de mis dientes nuevos». Cojo una mandarina que ha estado todo el día en el coche; está congelada, apenas puedo pelarla. Mi mano envuelve la carne fría de la fruta y consigo separar un gajo congelado, que se derrite en mi boca mientras leo la carta.

No recuerdo muy bien qué me contaba, aparte de que había pasado una tarde en el parque con Tristan[7], un chico de nuestra clase. Tristan había puntuado a las chicas «de la pandilla». De eso, en cambio, me acuerdo perfectamente. Me acuerdo de la caligrafía redondeada de Zoé, las letras trazadas en verde en ese párrafo. Tenía un estuche transparente solo para sus bolígrafos con tinta perfumada, ¿ese era el de manzana? A Zoé le daba un 9,5. Zoé ha sido toda su vida un 9,5. Casi me alegré... No, seamos sinceras —lo siento, mi querida Zoé—, me alegré muchísimo cuando, años después, me anunció que estaba embarazada, al saborear la perspectiva de que por fin su figura cambiaría. Tras leer todas las notas de las chicas de la pandilla, me asalta la angustia cuando me doy cuenta de que soy la peor. Un 5 sobre 10. «Mierda, incluso con mis dientes nuevos», pienso. «Tristan ha dicho: le doy el aprobado porque es muy maja, aunque es un poco demasiado gorda», se ha molestado en transcribir Zoé.

La odié por tomarse la molestia de plasmar sobre el papel el comentario de Tristan, por acordarse de cada una de sus palabras, de sus adverbios. ¿Realmente había dicho «un poco» demasiado gorda o había añadido ella el «un poco»

7. Nombre ficticio.

por remordimiento? En ese instante siento que el cerebro me bulle con los pensamientos violentos que me gustaría espetarles a Zoé y a Tristan. No sé por dónde empezar, no sé qué gritar, amordazada por la certeza aplastante de que soy la responsable de mi pena. En lo más profundo algo me dice que el insulto que aquí se me profiere no tiene razón de ser, pero dejo que las llamas de mi humillación me consuman, convenciéndome de que es culpa mía, dirigiendo mi rabia contra mí misma: estoy demasiado gorda, tengo poca disciplina, ninguna voluntad, nadie querrá a una gorda como yo.

Esta irrupción de violencia ya me es familiar, me la he encontrado decenas de veces, centenares, incluso. La más antigua que recuerdo: tengo siete u ocho años, de camino al colegio intento averiguar si los muslos se mueven o rozan entre sí más que la víspera. Observo la tela con flores de mis pantalones pitillo raída entre los muslos y miro los de otras niñas y me pregunto si se desgastan con la misma rapidez.

Esa mañana, cuando vuelvo a sentarme a mi mesa tras la reunión de redacción del *Figaro*, hago lo mismo, estudio el movimiento de mis muslos, la densidad del tejido, ¿me tiembla la grasa como un flan?

En el fondo, yo también soy como Austin Carr y quiero una buena puntuación. ¿Por qué? ¿Para vengarme del pasado? ¿Para curar mejor mi ego? Se apodera de mí un sentimiento contradictorio. Por un lado, sueño con ser una Zoé, una auténtica bomba, un 9,5 sobre 10. Por otro, me enfurece que se nos puntúe, objetive, evalúe como objetos. Todo ello me rechina dentro de la cabeza; mis dos impulsos acaban de chocar.

Pero como los sílex que se frotan para hacer fuego, su encuentro me aporta una energía volcánica. Quiero, debo saber más. Aunque no hubiera sido periodista, habría desarrollado la misma obsesión por este sistema de puntuación. Su existencia parece hacer diana en el centro de mis angustias y contradicciones, entre el ego, el deseo de ser guapa y el deseo de que me importe un comino ser guapa, el deseo de seducir y el deseo de que me vean como una persona y no un objeto; entre frivolidad y feminismo. Tengo que conocer mi puntuación y tengo que saber más sobre la aplicación más rentable de la Apple Store: ochocientos millones de dólares de facturación en 2018.

Tinder ya no publica el número total de usuarios[8]. A finales de 2015, la aplicación se jactaba de tener sesenta millones de usuarios. Sesenta millones de puntuaciones misteriosas. No soy capaz ni de visualizar lo que eso representa. Me imagino una tabla de Excel interminable, con una tipografía de cuerpo 6, con nombres escritos en todos los idiomas, todos los alfabetos, y su puntuación al lado. O quizás como un parqué virtual, tipo Wall Street, en el que se ve cómo cambia la cotización de las empresas en directo, pero con sesenta millones de fotos de Tinder y un número de tres cifras a su lado que no deja de cambiar. Y yo allí, en la foto con la bufanda azul delante de la Tate Modern, perdida entre la multitud, pero en algún sitio. ¿Con qué puntuación?

---

8. Tinder solo publica el número de usuarios de pago: 4,1 millones a finales de 2018.

CAPÍTULO 3

Date prisa

Poner en marcha una investigación es un trabajo ingrato y aburrido que nunca se ve en las series o en las películas sobre periodistas. Es muy distinto de la descarga de adrenalina del encuentro nocturno en un aparcamiento subterráneo para recuperar una memoria USB.

No, no, nada que ver.

Como un comercial en fase de prospección de mercado, tengo que enviar cientos de correos. En las productoras de programas de investigación, como los franceses *Envoyé spécial* o *Complément d'enquête*, trabajan un montón de «investigadores» (a menudo periodistas jóvenes recién salidos de la universidad) que mastican el trabajo para otros periodistas. Ellos son los que se ponen en contacto con todas las personas que están, directa o indirectamente, relacionadas con su objeto de estudio. También contactan con todos los periodistas que han escrito noticias sobre el asunto, incluso breves, para pedir pistas. Por cada pista que conduce a algo, hay que probar suerte con muchísimas que no.

Para la tele es aún peor: hay que hacer un casting entre las personas que responden para seleccionar a las que «quedan bien en pantalla», es decir, las que no son muy feas y se explican con corrección. Sé cómo funciona porque he trabajado para una productora americana de investigadora-guía, o *fixer*, es decir, ayudando a los periodistas extranjeros a desenvolverse en mi país.

En mi caso, evidentemente, no tengo a nadie que me haga las investigaciones previas. Café en mano, en pijama y en la cocina, preparo la lista de tareas que tengo que hacer para poner en marcha la investigación. Trabajo en casa porque acabo de dejar mi puesto en *Figaro*. Era un primer trabajo estupendo, pero empezaba a aburrirme. Además, tenía que abrirme camino en publicaciones más afines a mí, así que me hice autónoma, jurándome que trabajaría los temas que me interesan, ¡mi puntuación de Tinder incluida!

Tengo que ponerme en contacto con la CNIL, la agencia francesa de protección de datos personales, para preguntarles cómo acceder a los datos que Tinder tiene sobre mí. Recurro también a asociaciones de consumidores, un abogado, activistas de la defensa de los derechos informáticos... Lanzo las pistas, como lanza un pescador su amplia red, para observar después lo que saco. Me pongo en contacto con Tinder, obviamente, aunque no creo que me den mi puntuación nada más llegar.

He compuesto una plantilla de correo que personalizo para cada destinatario. Por ejemplo, si queremos hablar con un experto, siempre hay que dejar caer por qué nos ponemos en contacto con esa persona en concreto y demos-

trar que conocemos su trabajo en profundidad. Una pizca
de adulación, siempre. No me atrevía, me parecía excesivo,
pero recibo bastantes más respuestas desde que añado a
todas mis solicitudes un «será para nosotros todo un honor
poder compartir sus conocimientos con nuestros lectores».
Nunca hay que olvidar definir la interacción esperada. Mi
fórmula es: «Podemos, para empezar, hablar de manera
oficiosa, *off the record*, antes de considerar su posible parti-
cipación en el proyecto». «Considerar», «posible»; hay que
dejar la puerta abierta, asegurarle a la otra persona que no
se compromete a nada, avanzar poquito a poco.

En fin, cuento todo esto como si hubiera encontrado
la receta mágica, pero por ahora solo recibo negativas.
La CNIL no me ha respondido y la agencia de protección
de datos del Reino Unido me ha explicado por correo
que no puede ayudarme: como Tinder es una empresa
estadounidense, la aplicación se encuentra fuera de su
jurisdicción. Me he puesto en contacto con varias asociaciones francesas de consumidores que me han respondido
lo mismo: no podemos ayudarte porque se trata de un
producto americano. Tengo la impresión de que las leyes
están a mil leguas de la realidad. ¿Tendremos que utilizar
solo aplicaciones para ligar de nuestro país para gozar de
derechos?

Siento que me vuelvo esquizofrénica. Cada dos emails de
investigación, agarro el móvil para conectarme a Tinder.
Después de un año y medio utilizando la aplicación, me
conecto al menos una vez al día. En el metro, delante de
la tele, en la cama cuando remoloneo. ¿Debería dejarlo
del todo? ¿Contribuiría a mejorar la calidad del trabajo si
hablase del tema desde fuera? No lo creo.

Además, para ser sincera, no lo puedo dejar. Conectarme forma parte de mi orden diario, como lavarme los dientes o beber un café por la mañana. Pam, me conecto, ah, tengo muchos *matches*, me tranquiliza, me desconecto. Lo tengo asumido.

Si hiciera la misma investigación sin explicar por qué el tema me importa tanto, sin mostrar la otra cara de la moneda, mi vida, mis andanzas, quizás podría darle una mayor apariencia de objetividad, de periodismo serio. Pero estaría siendo deshonesta. No investigo esto por casualidad, no es un tema que se me haya asignado, es *mi* tema, y es también una aventura personal.

Respecto a mi vida sentimental, la euforia de Tinder del principio no ha durado. Subió *in crescendo* antes de estrellarse de golpe. Especialmente con Husky. Después, un tal Mister Long Island me remató.

Con Husky (por sus ojos azul claro) quedo unas horas después de nuestro *match*, un sábado al mediodía. Fue el primero en gustarme de verdad al principio de mi experiencia en Tinder, cuando estaba puesta de ego. Aún trabajaba en *Figaro* y me aburría durante una guardia del periódico, un sábado. Quedamos para comer. «Llevaré unos vaqueros azul claro», le explico para que me reconozca. Los famosos vaqueros de la talla 36, por supuesto, que me puse, mientras pude entrar en ellos, casi todos los días.

Quedamos en el bulevar Haussmann. Lo veo cruzar para saludarme y me atrae al instante. ¿Por qué algunas personas nos gustan así, de golpe? ¿Será su chaqueta azul marino? ¿Sus zapatillas caqui? ¿Su mirada soñadora? Nos saludamos con un beso tímido en la mejilla antes de dirigirnos, sin intercambiar una palabra, a la terraza de un café cercano. Con él no me da miedo que la gente sepa que estamos en una cita de Tinder. Estoy hasta orgullosa.

Sin embargo, nuestra conversación dista mucho de ser fluida.

Él mantiene la mirada fija en su café con leche y la levanta solamente a veces, suavemente, para mirarme cuando la mía está en otra parte. Me doy cuenta después de un rato; en el límite de mi campo visual lo veo mirarme, pero no hago nada, finjo que no me he dado cuenta y dejo que su mirada se pose en mí. Me pongo derecha, meto la tripa. Cuando intento expulsar el humo del cigarro como una actriz, o de una forma un poco sensual, espero no parecer demasiado ridícula, espero que piense que soy guapa. Después me contó que me miraba los labios, que adora mis labios. Al mirarme, siento como si me acariciase con la punta de los dedos, como se acaricia a alguien que duerme y no queremos despertar.

Este juego de triangulación de las miradas dura apenas unos segundos y mi respiración, imperceptiblemente, se acelera. «Oh, no lo fastidies todo mirándome descaradamente de arriba abajo», le imploro en mi cabeza. «Incluso si no ves que te veo, no seas baboso, ¡te lo suplico!» Todas las mujeres conocen esa mirada, la mirada que evalúa, la mirada de los acosadores por la calle, la que baja, sube, desviste e insulta, ya de paso. Él no aparta la suya de mi rostro, antes de volver a sumergirse en el café. Retomamos nuestra conversación sobre un tema que ya no recuerdo, apenas lo escucho hablar, ni me oigo responder.

«¿Qué haces esta noche? Te prometo que seré más locuaz después de un par de cervezas.» Sonrío al leer su mensaje, recibido justo después de despedirnos, en el ascensor. Sonrío aún más cuando, tras ese par de cervezas,

me besa contra un coche de Autolib' en la Place de la Ré-
publique. Sonrío, pero tengo miedo.

Así que, en cuanto termina nuestro primer beso, estoy
lucidísima, tajante, no busco nada serio, no quiero volver
a enamorarme jamás, «me oyes, ¡jamás!». Con perspectiva, me veo como una cría que formula un sortilegio, que
espera que baste con decirlo para que algo no pase, sobre
todo cuando sabe que ese algo ya está pasando.

Mi historia con Husky dura cuatro meses, durante los
cuales mi corazón se acelera cada vez que veo las notificaciones azules en la pantalla del teléfono cuando me escribe
o me envía fotos de todas las estaciones de Autolib' por las
que pasa o me confiesa que huele muestras de mi perfume
cuando me echa de menos. Me enfado con él por las noches, cuando se ríe tan alto en mi cama que podría despertar a mis compañeras. Durante todo ese tiempo, me pregunto: ¿no estará siendo esto, poco a poco, ni el regreso ni
el recuerdo, sino quizás un nuevo amor que nace? Al fin y
al cabo ¿de qué tienes miedo, Judith? Ya no eres un 5 sobre
10, déjate llevar, ¡ahora podrán amarte!

«Jamás podría enamorarme de una chica que he conocido en Tinder. Es imposible.»

Tiene la misma mirada huidiza que me sedujo, pero
esta vez sumergida en una pinta, en una terraza de la calle
Faubourg-Saint-Denis. En París, las mesas están tan juntas que tengo miedo de que los clientes sentados al lado
nos escuchen. Tengo miedo de que se den cuenta de que
están a punto de dejarme. En ese instante, eso me parece
lo más importante de la situación: no quiero que nuestros
vecinos de mesa nos escuchen, no quiero quedar mal. Le
respondo con un susurro, acercándome con la esperanza
de que él haga lo mismo.

—¿Qué importa que nos hayamos conocido en Tinder? Yo soy la misma persona...

¡Y además soy guapísima! Nunca he estado así de delgada, quiero añadir. Nunca he sido tan adorable, Husky, ¿qué es lo que te pasa? Mira mis vaqueros, ¡son una 36! ¡Una 36! ¿Acaso también les dan calabazas a las chicas delgadas? ¿Las dejan? ¿Por qué no me quieres?

—¿Qué?

Habla demasiado alto, los que están sentados al lado nos miran. ¿Qué pensará esa idiota detrás de sus gafas? A lo mejor, cuando me vaya, se reirá con su amigo y dirán: «¡Ya ves! ¿Qué esperaba? ¿Acaso pretendía encontrar el amor en Tinder?».

—Pero... Pero yo soy la misma persona...

—Lo sé. Sinceramente, todo habría sido distinto si nos hubiésemos conocido en el trabajo o en otra parte. Pero en una app para ligar...

—Pero ¿por qué? ¿Qué importa eso?

—No es lo mismo. En realidad, necesito que haya una amistad para enamorarme.

—Ah, OK, OK... Lo entiendo —termino por decir, aunque significa, palabra por palabra, justo lo contrario.

La historia termina así. Como nunca hemos estado oficialmente juntos, quiero creer que no estoy oficialmente triste. Así que un mes más tarde, acepto una cita con un hombre cuya conversación jamás olvidaré.

Hemos quedado en un bar italiano debajo de mi casa. Es muy apuesto y por un segundo fantaseo que vamos a congeniar y me va a hacer olvidar a Husky.

Nada más sentarnos, lo critica todo. Creo que las primeras palabras que me dirige son: «Me gustó que propusieras un bar. Las chicas suelen dejar que los tíos lo hagamos todo, es aburridísimo. Tú tomas la iniciativa, me gusta, pero, en cambio, el sitio me ha decepcionado».

Pide consejo al barman porque no sabe qué cóctel elegir. No entiendo la respuesta del joven camarero, pero leo en los ojos de mi cita una exasperación cada vez mayor. Apoya la carta de bebidas sobre la mesa con un largo suspiro.

«Si es así, tomaré un Long Island.»

De primeras, lo odio, pero pienso que igual puede mejorar. «Te odié al principio de la cita», me imagino confesándole, risueña, en unas horas. A la vez, mientras pido, intento cruzar miradas con el camarero para intentar hacerle comprender con una sonrisa que no, yo no soy como él. Tiene los ojos pegados al suelo.

«Periodista del *Figaro*, me gusta. Mañana podré contarle a mis compañeros de curro que me he tomado unas copas contigo, mola.»

Le doy un par de tragos a mi copa y tomo la suya: «¿Puedo probar tu Long Island?». Quiero beber todo lo que pueda para emborracharme, para que este instante sea menos insoportable.

Debería levantarme y marcharme de inmediato. Debería. Respondo a las preguntas que me hace mientras me pregunto cómo. ¿Me levanto, sin más, y me marcho? ¿Qué digo? «Lo siento, esto no va a funcionar.» «Lo siento, pero estoy muy incómoda.» «Lo siento, eres un imbécil.» ¿Y por qué tengo que decir «lo siento»? ¿Por qué tengo que disculparme yo?

—¿Qué edad tienes? ¿Veintiocho?

—Sí, veintiocho.

—Ah, bien por ti, pareces más joven. Pero aun así tengo que decirte que te des prisa. Cuando llegas a los treinta, ¡es la guerra! Mis compañeras de trabajo están desesperadas. ¿Acaso su vida social se reduce a sus compañeros de trabajo?

—¿Acabas de cumplir los veintiocho o vas a cumplir veintinueve?

Me agobia su obsesión por la edad.

—¿Lo dices porque tú tienes treinta y cuatro y estás en ello?

—Los tíos tenemos más tiempo, podemos tener hijos toda nuestra vida. Y, además, un tío siempre va a preferir a una mujer más joven que él, es normal. No, pero tú no estás mal, tienes lo que hace falta, donde hace falta. Verás, al mediodía, con los compañeros, cuando salimos a comer en una terraza, o en un restaurante, miramos a las mujeres pasar e imaginamos lo que deberían hacer para tener el cuerpo perfecto.

Ahí lo tienes, esa sensación de estar siendo puntuadas por nuestra apariencia no está solo en nuestra cabeza. ¡No solo nos evalúa Tinder!

—También podría hablarles de tus pechos, pues llevo observándolos desde que llegamos. ¿Lucen igual de bien sin sujetador? ¿Qué pasa? Estás en Tinder para eso, ¿o no?

Me cierro como una ostra, me levanto, me pongo la chaqueta, salgo del bar. Lo oigo hablar a mi espalda, pero, como un autómata, no le escucho, no distingo ningún sonido inteligible. Le dejo que pague su mierda de Long Island y mi copa de vino rosado.

Subo los tres pisos andando, pisando sobre cada escalón con todas mis fuerzas. Me siento en el sofá, aún con el abrigo y el bolso, alelada. Estoy tan furiosa. Con él, claro, y conmigo. El capullo me ha escrito un mensaje: «????????????».

Bloqueo su número. Lo borro de Tinder. No es suficiente. Su baba venenosa me ha alcanzado y me odio por no haberle puesto en su sitio, por no haber tenido la réplica perfecta para cerrarle el pico. Me odio por haber «llegado a esto», me odio por no tener nada mejor que hacer con mi noche que quedar con este tío. Me imagino a todas esas chicas en pareja que vuelven a su casa, comparten la cena con un chico, se toman una copa de vino delante de una buena peli, y mientras tanto yo estoy fuera dejando que me convierta en un trozo de carne el primer cerdo que pase.

Se acabaron las mentiras. Este primer año de soltería me lo ha demostrado, es mucho más difícil de lo que creía. Echo de menos a Husky, sigo esperando un mensaje suyo que nunca llega. ¿Por qué no se puede uno enamorar de una chica que ha conocido en Tinder? He hecho TODO lo que se espera de mí: estoy delgada, tengo el pelo largo y soy graciosa. He cumplido mi parte del contrato, ¿por qué no hacen lo mismo los demás? ¿Acaso tiene razón el idiota aquel? ¿Soy ya demasiado vieja? ¿Ya? ¡Cómo ha pasado el tiempo!

Después de aquello, sigo en la aplicación, pero no me atrevo a hablar con nadie. Estoy en modo submarino, o «adicta-abstinente», como me dice Zoé para chincharme.

Tengo miedo. ¿Se repetirá la misma historia con todos? ¿Qué más da si te conoces en Tinder? La respuesta irá asentándose, lentamente: si alguien que has conocido en Tinder no se enamora de ti, es, sencillamente, porque no está enamorado, y ya está.

CAPÍTULO 4

Espejismo

El primero que responde a mis emails es... Tinder. Unas horas después, tengo una cita a las 10 de la mañana con Julia y Louis[9] en una cafetería cerca de los Campos Elíseos. Trabajan como consultores para Havas, uno de los grupos de comunicación más grandes de Francia, y gestionan las relaciones de Tinder con los medios de comunicación franceses. Son, a la vez, mi puerta de entrada y una barrera en potencia. Aceptan reunirse conmigo para un intercambio informal y ver «cómo podríamos trabajar juntos». No ocultan la razón por la que les intereso: colaboro con la revista *Grazia* y su página web. En las aplicaciones para ligar, el «coste de adquisición» de una usuaria resulta mucho más alto que el de un usuario. En términos de marketing, este término designa los gastos que conlleva ganar un nuevo cliente, y las mujeres son

9. Nombres ficticios.

más difíciles de pescar. Para ellos es una bendición aparecer en la prensa femenina.

Me presento como periodista especializada en temas de sociedad. Nadie sabe que se me ha metido en la cabeza conseguir mi puntuación Elo. Esta colaboración con *Grazia* es perfecta, me digo. A corto plazo, podré venderles temas sobre Tinder y, además, *Grazia* es una de las pocas revistas que paga decentemente a sus colaboradores. En cuanto a Tinder, podré acercarme a ellos si me presento como alguien que puede contribuir a conseguir más usuarias francesas. Con el tiempo, debería poder llegar hasta el jefazo y colar mis preguntas «reales». Al menos, eso espero. Sigo mi instinto, tanteando. Para averiguar más sobre mi puntuación Elo, lo mejor será tener a estos dos de mi parte, así que me dirijo al café decidida a hacerme valer. Louis y Julia ya están allí. Visten como me imagino que visten siempre los consultores. Chaqueta azul marino sobre camisa impecable, vaqueros y barba bien recortada para Louis. Sonrisa afable, jersey de cachemira para Julia. El ambiente es distendido, nos tuteamos de entrada, yo bromeo: «¡Me traéis a un barrio elegante!». «No te creas, yo también vivo al este de París», responde Louis con una sonrisa. Los dos son muy simpáticos. Tenemos, más o menos, la misma edad, trayectorias probablemente parecidas; no me sorprendería que tuviésemos una docena de amigos en común en Facebook. «No te dejes engatusar, son amables por motivos laborales», me susurra una vocecita en la cabeza.

Tras las presentaciones, la conversación nos lleva a Sean Rad, CEO de Tinder y cofundador de la aplicación. De poco más de treinta años, es hijo de inmigrantes iraníes y ha crecido en Beverly Hills, un barrio de Los Ángeles. Cuando cumplió trece años, sus padres le regalaron su primer smartphone, cuenta en *Rolling Stone*[10]. Soñaba con ser estrella del rock, pero su familia le hizo entender que antes tenía que ganar dinero. Empezó a estudiar empresariales en la USC (University of Southern California), pero no soportaba la vida en el campus, así que dejó su habitación de estudiante y volvió con sus padres.

En 2006 creó Adly, una plataforma para que los famosos gestionen sus diferentes perfiles en las redes sociales. En 2012 vendió su parte de Adly para entrar en Hatch Labs, una incubadora para aplicaciones móviles financiada por IAC, un conglomerado de empresas estadounidense con ciento cincuenta marcas en todo el mundo, como Vimeo, CollegeHumor, Dictionary.com o Match Group, el grupo de portales de citas más grande del mundo.

Ahí inventó Tinder junto con un equipo de cinco personas; entre ellos, su mejor amigo de la infancia, Jonathan Badeen. En una entrevista para *Business Insider*[11], cuenta cómo se le ocurrió la idea para Tinder: estaba en una cafetería con unos amigos cuando una chica le sonrió. Explica cómo esa sonrisa le hizo comprender que a esa chica le apetecía hablar con él. Esa certeza tranquilizó al hombre que se describe como «muy tímido». A Sean Rad se le metió en la cabeza que quería encontrar la forma de crear un *double opt-in* social, un término que en marketing designa un consentimiento en dos fases. Garantizar a dos individuos su interés mutuo antes de permitirles hablar. De ahí su genialidad: el miedo al rechazo desaparece.

---

10. «Inside Tinder's Hookup Factory», *RollingStone.com*, 27 de octubre de 2014 (en línea).
11. «What it's really like to build a $3 billion start-up in your 20s», *BusinessInsider.com*, 14 de febrero de 2017 (en línea).

Cuando me reúno con Louis y Julia, Sean Rad acaba de conceder su primera entrevista[12] al periódico *Evening Standard*, de la que se hizo eco toda la prensa mundial. En ella, Sean Rad se muestra... huidizo, en algún punto entre torpe, entrañable, pero también machista y peligroso. Dice estar enganchado a Tinder. «Todas las semanas me enamoro de una chica nueva», bromea antes de revelar que por ahora está soltero. «Estoy centrado en esto. Estamos en un momento importante para Tinder, por desgracia no tengo tiempo para eso.» Explica a la periodista que solo se ha acostado con veinte chicas, a diferencia del usuario medio de la aplicación, y que ha rechazado las insinuaciones de una modelo que quería tener un encuentro sexual con él. «Era una de las mujeres más hermosas que he visto jamás, pero eso no significa que quiera quitarle la ropa y hacerle el amor. La atracción es un fenómeno complejo. Me han atraído mujeres que eran... Que mis amigos podrían haber encontrado feas. A mí me da igual si alguien es modelo. De verdad. Puede parecer un cliché y casi imposible de creer que un hombre diga algo así, pero es verdad. Yo necesito un desafío intelectual.» ¿Tan increíble es que él y sus amigos piensen que las mujeres no son solo un cuerpo y los hombres no son animales? «Al parecer, hay una palabra que describe a las personas que se sienten atraídas por la inteligencia —continúa Sean Rad en su entrevista—. ¿Cuál es la palabra? ¿Es "sodomía"?» Su jefa de prensa y la autora del artículo se ríen. «¿Qué? ¿Qué he dicho?»

La parte del artículo que más interesante me resulta es cuando presume de los espectadores que asistieron en

---

12. «Tinder? I am an addict, says hook-up app's co-creator and CEO Sean Rad», *Standard.co.uk*, 18 de noviembre de 2015 (en línea).

Dublín al último Web Summit (una importante reunión anual de los protagonistas a nivel mundial en materia tecnológica). «Había más personas que para Instagram», se jacta, y a mí me da la impresión de estar leyendo a un niño. «¡La sala estaba llena de fans enloquecidos! Era como un concierto. La tecnología importa mucho más que antes. Es el nuevo rock.» Vuelvo a pensar en el niño que quería ser una estrella. Parece como si quisiera convencerse de que no hay nada de lo que arrepentirse.

Más adelante, el tono cambia. La periodista evoca un artículo que se había publicado en *Vanity Fair*: una investigación minuciosa escrita por Nancy Jo Sales, una periodista estadounidense. Fue la primera que se cuestionó las consecuencias de Tinder en la sociedad y describió un panorama apocalíptico para las citas. Sean Rad se enroca cuando se menciona el nombre de Nancy Jo Sales y amenaza con revelar información sobre ella. «Yo también he investigado. Hay cosas que os harían verla de otra manera», apunta al *Evening Standard*.

—Los periodistas han sido muy duros con Sean, hay que entender que no esperaba que la aplicación tuviera tanto éxito —me explica Louis—. Hay que verlo como un tímido catapultado a la cima, que responde con sinceridad a las preguntas de los periodistas. Cuando se alegra de tener éxito con las mujeres, está siendo sincero.

Asiento con la cabeza.

—Al fin y al cabo, el concepto detrás de Tinder es el de ligar sin que te rechacen, es normal que lo celebre —exagero, pues si estoy ahí es para quedar bien—. Muchos dicen que Tinder promueve las relaciones como si de un producto de consumo se tratara. ¿Qué pensáis vosotros?

—Es una visión incompleta y parcial de la realidad —responde Louis—, amplificada por las redes sociales. Algunos usuarios se divierten compartiendo las peores conversaciones en Tinder o apps similares, ¡y reconozco que algunas son insuperables! Pero nadie habla de los miles de matrimonios, de bebés o simples historias de amor que empiezan en Tinder.

—Sí. Tinder es la herramienta, cada uno hace lo que quiere con ella —añade Julia—. Si algunos le dan un uso que tiende hacia el consumismo, es su elección. Tinder no es individualista, lo es la sociedad.

Por eso Tinder, tras cada *match*, nos propone «seguir jugando»[13], ¿no? Usa colores y códigos propios de los videojuegos para provocar pequeñas descargas de serotonina en el cerebro con cada *match*, incitándonos a volver a ella, una y otra vez, ¿no? Nos envía notificaciones para decirnos a cuántas personas hemos gustado mientras estábamos desconectados. Nos informa de que nuestro perfil tendrá menos visibilidad si no volvemos. Nos presenta a las personas una detrás de otra, haciéndonos sentir que siempre habrá alguien más.

En diseño, al proceso de construir una herramienta que lleva a los usuarios a realizar acciones que en realidad no desean, pero atribuyendo la responsabilidad de esas acciones a los propios usuarios, se le llama un *dark pattern*, un patrón oscuro. El término lo inventó en 2010 Harry Brignul, un diseñador británico[14]. «No queremos admi-

---

13. Hasta 2016, la aplicación proponía a los usuarios enviar un mensaje o «seguir jugando» (*keep playing*). Después se cambió por «seguir deslizando» (*keep swiping*).
14. «Dark Patterns: Deception vs. Honesty in UI Design», *A List Apart*, n.° 338, noviembre de 2011.

tirlo, pero el engaño está íntimamente ligado a la vida en este planeta —escribe en un artículo sobre el tema—. Los insectos han evolucionado para usarlo, los animales recurren a él en su comportamiento y, por supuesto, los humanos lo usamos para manipular, controlar y aprovecharnos los unos de los otros. Por ello no sorprende que el engaño aparezca de formas muy variadas en las interfaces de usuario de sitios web. Lo sorprendente es que, hasta hace poco, los diseñadores no hablaran de ello. No existía la terminología, los patrones de diseño, y no se reconocía como fenómeno. Si no era un tabú, al menos lo parecía.»

Por ahora me guardo mis ideas. Jamás sabré qué piensan de verdad. Solo están haciendo su trabajo.

—¿Creéis que se podría plantear una entrevista con Sean Rad? —tanteo.

—Claro. Evidentemente, nosotros no podemos comprometernos a nada, pero cuando tengamos que anunciar alguna novedad, me parece factible —responde Louis—. ¿Qué te parecería un viaje a Los Ángeles a la sede de Tinder? ¿Te interesaría ese reportaje?

—¡Por supuesto!

¡Ja! Un viaje a Los Ángeles. «Seguro que cuelgan esa zanahoria delante de todos los periodistas», me vuelve a susurrar la vocecilla. Nos despedimos al cabo de una hora y nos prometemos seguir en contacto para una futura entrevista a Sean Rad.

Como de costumbre, varios días más tarde, me conecto a Tinder mientras remoloneo en el sofá delante de la tele. Hago *match* con Espejismo. Han pasado muchos meses

desde la ruptura con Husky, lo he superado. Ya casi no
pienso en él; solo se me pasa por la cabeza de vez en cuando si los elementos de la vida diaria me hacen pensar en
él —como cuando paso por delante de los cafés en los que
nos vimos— como un fantasma entrañable. En cuanto
a Mister Long Island, no me canso de contar la historia y
me río de él con mis amigos. Estoy lista para salir de mi
submarino. En la vida real también estoy más abierta a las
citas, pero es Espejismo quien más despierta mi interés.
Le llamo Espejismo porque, por muy seductor que fuese,
desaparecía cada vez que intentaba acercarme a él.

Su primera frase me hace reír: «No te pregunto cómo
estás, puesto que es lunes». Sus fotos también me gustan.
En una presume de cornamenta de reno, en otra aparece
de pequeño delante de un dibujo suyo con un corte de
pelo al estilo Playmobil, en una tercera finge dar de comer
a una escultura enorme de un perro. Espejismo me propone quedar el miércoles siguiente. Acepto. A ello le sigue
un pequeño intercambio sobre lo que hemos comido al
mediodía. Se ríe de mí y me llama «periquito» cuando respondo «una ensalada de quinoa». Eso me gusta.

Espejismo me gusta también en persona. Me arriesgo
y voy a tomar algo con él directamente, sin hacer una primera cita «de prueba» de una hora. Estoy menos tímida
que con Husky, tengo más confianza. Ya no me preocupan
tanto los silencios o el qué pensarán los vecinos de mesa.
Tras dos cervezas y un spritz, salimos a «dar una vuelta»
y hablar, sentados sobre bicicletas de Vélib' estacionadas.
Fumamos tabaco de liar y nos reímos en plena noche. Me
alegro cada vez que él se lía un cigarrillo, pues eso quiere
decir que aún no se va a marchar. «Después de lo del Autolib', todas las citas de Tinder tienen algo que ver con los

transportes del Ayuntamiento de París», pienso mientras sonrío por dentro. Tengo muchas ganas de besarlo.

Por suerte, el beso llega muy pronto. Unos minutos después, acerca sus labios un poco apresuradamente. Su boca casi choca con la mía y, entonces, sube la temperatura en mi vientre. «Es mentira, tú no tienes cinco estrellas —me susurra al oído, en referencia a la frase de mi perfil—, tú tienes por lo menos seis o siete.»

CAPÍTULO 5

Los rechazos

Suspiro delante de mi ordenador en la oficina de Journalopes[15], mi colectivo de periodistas *freelance*, en el barrio La Goutte d'Or de París. Las Journalopes son mi manada. Somos seis chicas, seis autónomas, y nos ayudamos mutuamente en la precariedad del colaborador periodístico. La idea de crear el colectivo se me ocurrió con Cerise, autónoma como yo, porque la soledad nos pesaba. Decidimos llamarnos Journalopes, un insulto que inventó la extrema derecha francesa y que surge de la colisión entre *journaliste* (periodista) y *salope* (puta), para así apropiarnos del insulto y vaciarlo de su significado, como hacen las feministas con la SlutWalk, la Marcha de las Putas.

Estoy sola en el despacho, un domingo por la tarde. Repaso el conjunto de artículos sobre tecnología de las

15. Colectivo de periodistas autónomas formado por Justine Brabant, Laurène Daycard, Judith Duportail, Audrey Lebel, Cerise Sudry-le-Dû y Pauline Verduzier.

páginas de actualidad. Un rayo de esperanza se ilumina en mi interior mientras leo un artículo sobre un abogado alemán especializado en redes sociales, Chan-jo Jun[16], que había presentado una denuncia contra Facebook en octubre de 2015 por incitación al odio. Había denunciado más de sesenta comentarios en la red social que hacían un llamamiento a la violencia ante la llegada de refugiados a Alemania.

«Pues claro, tengo que pedir ayuda a los alemanes», me digo mientras leo el artículo sobre el abogado. De todos los países de Europa, Alemania es la más crítica con las redes sociales, y donde menos se utiliza Facebook, tal y como reconoció Marc Zuckerberg en su vista ante el Parlamento Europeo en 2018. Recuerdo haber visto, en las calles de Berlín, un cartel del Museo del Espionaje que llamaba la atención de los viandantes así: «¿Quién sabe más de ti? ¿La Stasi, la NSA o Facebook?». Encuentro el email de Chan-jo Jun en su web y le escribo para contarle mi historia. No sé si Tinder le interesa, pero seguro que tiene algo que opinar sobre el tema, experiencia, alguna pista, ¡un hueso que roer!

¡Chan-jo Jun me responde en menos de cinco minutos! ¡Claro que me puede ayudar! ¡Genial! Previo pago de casi doscientos euros la hora. Ah, vale. Lo que gano por un artículo que me puede llevar hasta una semana. ¿Y una simple entrevista para mi investigación? Declina la invitación.

A lo largo de mi breve carrera he aprendido al menos una cosa: la resistencia ante el rechazo es una cualidad esencial para la labor periodística. Hay que aceptar las ne-

---

16. «Incitation à la haine: Facebook visée par une enquête en Allemagne», *Rue89*, 6 de noviembre de 2016 (en línea).

gativas como un cirujano debe soportar la sangre. Pero no siempre es una tarea fácil. Con las Journalopes, para darle la vuelta, apuntamos en un papel todas las calabazas que nos dan; aspiramos a las cien al año. La idea es que cuanto más fracasemos, más proyectos llegarán a buen puerto. Añado una barra junto a mi nombre en la lista pegada a una de las paredes del despacho.

Esa misma noche, instalada en una terraza cerca de mi casa, le cuento a Espejismo la anécdota y le explico el concepto del «objetivo: 100 rechazos». Siempre bebemos spritz y bromeamos que es un cóctel «tan del verano pasado». Espejismo se acuerda entonces de que lo entrevistaron para un artículo sobre Tinder que salió en *Les Inrocks*. ¡Vaya coincidencia, a mí también! Nos damos cuenta de que, en el artículo «Sites de rencontre, l'amour au bout des doigts»[17], yo soy Léa y él, Théophile. Me tiende su móvil para que pueda leer sus declaraciones. «Salgo casi al final», me indica. «Pero, ya sabes, fue hace tiempo», se siente obligado a precisar.

La seducción por internet se parece, a veces, a un deporte de competición. Durante una época, Dimitri y Théophile se retaban. «A la 1 de la madrugada lanzábamos al mismo tiempo nuestro hechizo [Nota de la redacción: solicitud] a las chicas. Era un poco como ir a pescar. Tendíamos nuestras redes», se ríe Théophile. «Mi récord es menos de dos horas —añade su amigo Dimitri—. Le envié un mensaje a las 11 y a la 1:30 ya estaba en su cama.» Este moreno de aspecto cuidado suma una decena de chicas en su palmarés virtual. Sus historias nunca duran más de un par

17. *LesInrocks.com*, 22 de septiembre de 2013 (en línea).

de noches. Théophile explica la razón: «Cuando ligas con una chica en AdoptaUnTío, no cierras tu cuenta. Por eso, incluso si todo sale bien, siempre tienes la tentación de volver a la app para ver si hay algo mejor en el expositor».

«¿También estás en Adopta?»
Gano tiempo para saber cómo reaccionar. Al menos esta vez estamos sentados en una callejuela tranquila, no hay nadie a nuestro lado, ningún testigo. Me he quedado bloqueada con ese «algo mejor en el expositor». Oh, Judith, ya sabes que hay mucha fanfarronada, exageración, provocación, en las declaraciones de esos dos idiotas que se jactan de ligar como se presume de haber pescado un pez grande. Sabes que los chicos, entre ellos, cargan las tintas, presumen; las chicas también. ¡Incluso tú, a veces, dices cosas horribles! Aun así... ¿Hablaría de encontrar «algo mejor en el expositor»?

Nunca he pensado que Espejismo fuera mi gran amor. Sabía a qué atenerme, ¿no? Ya era consciente de que no podemos enamorarnos en Tinder, ¿no?

No, la verdad, por mucho que me repita todos los cuentos del mundo, no me esperaba esto. Estoy ofendida. No vale la pena disfrazar su búsqueda de un «miedo al compromiso», de ganas de «disfrutar de la vida», «vivir la juventud al máximo». No, él solo busca *algo mejor*. Y *en el expositor*.

—No dije «en el expositor» —dice Espejismo.

No respondo.

—Solo decía que es verdad que siempre tengo la tentación de volver a la app.

Sigo en silencio.

—¿Te puedo robar un pitillo?

Sonrío mientras me lo lío. Esta secuencia solo dura unos segundos, pero mi cabeza es un torbellino. ¿Cómo reaccionar? ¿Siempre tiene la tentación de volver? ¿Vuelve a las apps constantemente? Pero ¿por qué? ¿Qué digo? ¿Que estoy ofendida, arriesgándome a parecer una pesada? ¿Hacer como que no me importa?

Venga, Judith, no te lo tomes como algo personal. Ya sabes cómo va esto, has leído un libro sobre ello. La primera que entendió cómo excitan nuestro cerebro las redes sociales y aplicaciones como Tinder, para que deseemos constantemente volver a ellas, fue Natasha Dow Schüll, antropóloga de la universidad de Nueva York y autora de *Addiction by Design*[18]. Uno de los mecanismos psicológicos más poderosos de la adicción es el de la recompensa aleatoria y variable. Todo se reduce a no saber si esta vez vas a recibir una recompensa y de qué tipo. ¿Un mensaje? ¿Un *match*? ¿Un *match* de quién? Cierto, el mecanismo me pareció, de primeras, trivial. Sin embargo, eso nos engancha como prisioneros a sus barrotes. «Las tragaperras, que utilizan este sistema, reportan a los Estados Unidos más que la industria del béisbol, del cine y de los parques de atracciones juntos —escribe la antropóloga—. En comparación con los demás tipos de juegos de azar, los jugadores desarrollan problemas de adicción a las tragaperras de tres a cuatro veces más rápido.»

Las simples tragaperras con motivos que desfilan delante de nuestros ojos. Plátanos, dólares, cerezas. Plátanos, dólares, cerezas que amasan millones cada año. Tengo muchas ganas de decirle que se vaya a la mierda, él y su mierda

18. Princeton University Press, 2014.

de redes, él y su mierda de expositores, que no soy una maldita lata de conserva.

Dudo. Pero no.

Suelto el humo del cigarrillo mientras me miro los pies, y me acuerdo. Me acuerdo de mi 5 sobre 10. Me acuerdo de «jamás podría enamorarme de una chica que he conocido en Tinder», que entendí como una especie de «nadie se enamorará nunca de ti».

Además, no son plátanos, dólares o cerezas lo que desfila en Tinder, son otras chicas, otras sonrisas, otros cortes de pelo, otras risas, otras uñas siempre bien pintadas y, evidentemente, otros cuerpos, hermosos, suaves, tersos.

Me acuerdo de mi nota en Tinder, que quizás no es tan alta como me gustaría. Me acuerdo del «date prisa, los veintiocho, aún, pero cuando llegas a los treinta, ¡es la guerra!».

Además, ahora tengo veintinueve y mis mejores años quedan ya lejos, muy lejos, a juzgar por lo que he leído en *Dataclismo*. Publicado en 2014, el libro analiza los datos recopilados por el fundador de OkCupid, una aplicación para ligar que pertenece a la misma matriz que Tinder, Match Group. Si eres una mujer hetero y soltera de más de veintiún años, es el libro más deprimente de la historia. En líneas generales, pasados los veintiuno, nadie se interesa por ti. Mientras que las mujeres siempre buscan hombres de su misma edad, más o menos, los hombres quieren conocer a chicas de veintiuno. Eso viene a decir el libro. «No es un sondeo, es una confirmación basada en la observación de millones de comportamientos en internet. Una mujer busca, sea cual sea su edad, un hombre que tenga, más o menos, su edad. Para los hombres, una mujer está en su momento cumbre a los veintiuno. Así de claro. Las mujeres que reciben más *likes* siempre tienen entre veinte y veinticuatro años, incluso de hombres de más de cuarenta. En cuanto una chica tiene la edad suficiente para beber alcohol, ya es demasiado vieja.»

¿De verdad son así los hombres que conozco? Pienso en mis amigos de la infancia, mi novio de quinto, mis antiguos compañeros de piso, mi hermano mayor, el ex de Zoé que me encantaba, mi ex. Jamás podría imaginármelos tan cínicos, capaces de decir: «Ah, no, pasados los treinta, se acabó». ¿Tan bien lo esconden? Al fin y al cabo, he crecido con la serie *Cómo conocí a vuestra madre*, en la que Barney Stinson pregona su aversión por las mujeres de más de veintinueve unas doce veces por episodio.

Acabo por devolverle el móvil a Espejismo y le dedico mi mejor sonrisa. Tengo miedo.

Porque es verdad, hay otras mejores que yo en el expositor, mucho mejores, y nunca he sido tan consciente de ello. No soy un artículo de reclamo, como en la cabecera de un pasillo, con el que se atrae a los clientes. Tampoco soy un bote de estofado. Estaré en algún punto entre los dos. Me veo como un buen gruyer; eso es, soy un buen gruyer. Un producto reconfortante, pero por el que no te vuelves loco.

Así que hago algo peor que morderme la lengua, me excuso: «Perdón, no quiero ser una pesada. Y, además, me alegro de verte».

Nuestra noche continúa como si no hubiera pasado nada, pero hay rechazos que estoy menos dispuesta a encajar.

CAPÍTULO 6

Tinder makes me...

«Judith, soy Louis, de Havas. Llámame, creo que tenemos algo para ti.» Es un viernes por la mañana y, cuando recibo ese mensaje, estoy en pijama en el salón de mi casa. Estoy trabajando a distancia para una página web y no tenía ganas de ir hasta el despacho de Journalopes. Llamo a Louis de inmediato. Tinder va a poner en marcha una colaboración con Spotify que permitirá a los usuarios añadir a su perfil su canción preferida, me explica. La aplicación quiere ofrecer ideas para iniciar la conversación y que así los matches no caigan en saco roto. También es una forma que tiene Tinder de acceder a todos tus datos personales de Spotify, pero eso, obviamente, no lo proclaman a los cuatro vientos. Me propone una entrevista con Sean Rad, el CEO, para *Grazia*. «La primera de Francia», precisa Louis.

¡¿Sean Rad?! ¡¿Una entrevista?! Estoy emocionadísima. Llamo a la jefa de redacción de la sección de actualidad de *Grazia*. «Vale —me responde—, pero que no se aprovechen de nosotros solo para publicitar su colaboración. Acepta solo si se comprometen a ofrecernos información sobre el uso de Tinder en Francia. Necesitamos cifras, datos, sustancia.» Anoto todas sus recomendaciones en mi cuaderno con dibujos de pelícanos.

Me paso el día al teléfono con Louis y con Lise de *Grazia*, mientras intento hacer el trabajo que me han pedido para la otra web. No me da tiempo a ducharme hasta después de las 6 de la tarde, pero me da igual, estoy concentradísima. Tengo en la cabeza mis dos objetivos: responder a los requisitos impuestos por *Grazia* para proporcionarles una entrevista de calidad que ofrezca información nueva para las lectoras, y encontrar la forma de plantearle a Sean Rad al menos media pregunta sobre el algoritmo; o simplemente sobre cómo Tinder favorece una visión de las relaciones propia de la sociedad de consumo, no sé, *algo* tengo que sacar de esto.

Una entrevista con un CEO de Silicon Valley se negocia como un encuentro con un político. Louis, en línea directa con Tinder, me hace llegar sus peticiones y condiciones, mientras yo hago lo mismo con *Grazia*. Propuesta, contrapropuesta, discusión. «A Sean le gustaría revisar la entrevista antes de su publicación», me explica Louis. Cuando un interlocutor desea revisar una entrevista es que también quiere modificar sus respuestas *a posteriori*. «Nadie, jamás, ha revisado una entrevista para *Grazia* —responde la jefa de redacción—, ni el primer ministro.»

Acordamos que enviaré las preguntas por adelantado, pero que seré libre de guiar la conversación. Es fundamental. Eso significa que todo el mundo acepta tácitamente que voy a enviar una primera lista de preguntas para que

Sean Rad prepare la entrevista, pero que me guardo otras. Y ahí es donde me juego un pequeño margen de maniobra. Tengo que enviar el texto a *Grazia* antes del domingo por la noche para que lo revise la jefa y se envíe a imprimir el lunes de madrugada. Acordamos realizar la entrevista durante el fin de semana. Con la diferencia horaria, voy a terminar entrevistando a Sean Rad el sábado por la noche a eso de las 9 y escribiendo el texto casi sobre la marcha para enviárselo a mis jefes con tiempo. Acepto, recordándome que dos amigos, que conocí cuando estudiaba en Londres, llegan esa misma noche para pasar dos días conmigo. También he invitado a mi cuadrilla de París a tomar una copa y espero que Espejismo se nos una.

Nueva llamada de Louis, con Julia.

—Una cosa, Judith, si mencionas el tema de la puntuación Elo, no hay entrevista. No queremos hablar más de ello, la prensa se ha obcecado con eso de que es una nota de deseabilidad, y no es el caso. Sería una lástima, porque nos gustas y estoy seguro de que podremos hacer muchas cosas juntos, pero esto es imposible.

—¿Y qué es si no es una nota de deseabilidad?

—No queremos hablar de ello.

Ya habíamos hablado del artículo de *Fast Company* y de la puntuación Elo. ¿Quizás no debería haber hablado de ello con él? Digo que sí a su condición, pues no es cuestión de que todo se pare ahora. ¿Me la voy a jugar a lo kamikaze y hablar de la puntuación Elo al final de la entrevista? Las preguntas a bocajarro han de ser las últimas. Si enfadas a tu interlocutor al principio del intercambio, te arriesgas a asustarlo o enfadarlo, y lo habrás perdido todo. Ya no sé nada, estoy cansada y, además, tengo que ir a recoger a mis amigos a la estación de autobús de Orly. Lo decidiré después.

En el bar de debajo de mi casa, mis amigos de Londres congenian con los de París y se ríen de mi cambio de planes por culpa de la entrevista.

—¡Le puedes preguntar a Sean Rad si está soltero! —se ríe Hannah.

—O pedirle la lista de todos los tíos que te han dado *like*. Así puedes hacer una criba —añade Matthew.

—¡O que te dé acceso a Tinder Select de por vida!

Tinder Select se ha presentado a la prensa como un Tinder especial VIP, accesible solo con invitación, que reúne a la *crème de la crème* de los solteros. «Para las supermodelos y los CEO», resume el sitio estadounidense TechCrunch. Tinder se niega a hablar públicamente incluso de su existencia, pero existe: el periodista estadounidense Nathan McAlone consiguió que lo invitasen a Tinder Select en junio de 2017[19].

«De primeras, no es un Tinder distinto —explica—. Deslizas la foto como en el Tinder normal. Los demás perfiles *select* simplemente aparecen con un recuadro azul y un icono *select*. No he visto modelos ni CEOs, pero sí a mucha gente que trabaja en Tinder, en el sector tecnológico, en relaciones públicas y periodistas especializados en nuevas tecnologías.»

La diferencia es otra. «Cuando me instalé Tinder Select —sigue explicando Nathan McAlone—, deslicé algunas fotos a la derecha y otras a la izquierda, nada era especialmente diferente. Sin embargo, a la mañana siguiente, ¡tenía veinte *matches*! Eso no me había pasado nunca. En la versión normal, tenía uno al día, como mucho. Con

---

19. «Inside the secret version of Tinder for celebs and other VIPs — here's what the invite-only Tinder Select is like», *Business-Insider.fr*, 14 de junio de 2017 (en línea).

Tinder Select, el algoritmo está de tu parte. Mi teoría es que Tinder Select destacó mi perfil para que los perfiles que había deslizado a la derecha, incluso los más antiguos, de unas semanas antes, me viesen primero. Esa visibilidad continúa y, cada vez que uso Tinder, tengo muchos más *matches*. También tengo la sensación de que cuando empiezo a deslizar perfiles, hay mucha gente a la que le he gustado. Creo que mi perfil también se muestra a muchas más personas.»

Imposible, según él, saber cuántas personas disfrutan de la opción Select, pues Tinder se niega a hablar sobre el tema. Tampoco puede invitarme a entrar en Select: hay que trabajar en Tinder para poder hacerlo, o bien tener un perfil super*select* con permiso para invitar.

¡Un perfil super*select*! Tengamos el perfil que tengamos en Tinder, la aplicación siempre encuentra la forma de hacerte entender que no estás en lo más alto, que siempre hay un nivel más, como en los videojuegos.

Desde 2017, a excepción de unos pocos artículos de la prensa estadounidense especializada, no he vuelto a oír hablar de Tinder Select. «Mi teoría es que se quedó en beta —sigue Nathan—. Desde que me la instalé, no he visto nuevos perfiles *select*.»

Sin embargo, en agosto de 2017, Tinder puso en marcha Tinder Gold, una opción de pago que te permite ver quién te ha dado un *like* y usar un *boost* para darte más visibilidad. Cuesta un poco más de veinticinco euros al mes, con descuento si te suscribes durante más tiempo (once euros al mes durante un año). Gracias a esta opción, Tinder se ha convertido en la aplicación más rentable de la Apple Store, por delante de Netflix y CandyCrush, según los datos de App Annie. Tras su lanzamiento, la marca describió Tinder

Gold como un «asistente personal» que te ayudará a ligar, «disponible las 24 horas y que te sirve los *"matches* pendientes"* en bandeja».

He probado Gold durante un mes, con su opción *boost*. Tienes derecho a un *boost* cada cuatro semanas. Mi perfil pasa a ser entonces un perfil *top* durante treinta minutos, según explica Tinder. El efecto es impresionante: la aplicación ofrece un recuento en directo y el contador se vuelve loco; le gusto a cientos de tíos, me indica Tinder. Por mucho que ya no me lo crea tanto como al principio, me siento halagada. Después puedo elegir si deslizar a la derecha o a la izquierda a las personas que me han dado *like* previamente.

Es un crimen perfecto. ¿Habrá creado Tinder un algoritmo injusto, que pone a los feos con los feos y a los guapos con los guapos? ¿Habrá una jerarquía sexual basada en las puntuaciones Elo de cada uno? ¿Ofrecerá Tinder a cada usuario la posibilidad de escapar a su propio algoritmo si paga y así vivir durante treinta minutos la buena vida de un triunfador de la puntuación Elo, de visitar durante media hora los salones de primera clase antes de volver a su sitio? Todo estaría planeado, el palo y la zanahoria, el problema y la solución.

En el bar con mis amigos, no quito la vista del móvil. La lucecita verde del teléfono se vuelve azul y parpadea cuando recibo un mensaje. Miro fijamente la luz verde, esperando que cambie de color. Espejismo me ha dicho «que me dirá algo» de quedar esta noche. Si existiese, ¿compraría un *love-life boost* por veinticinco euros al mes para que los tíos me respondan siempre a los mensajes en menos de una hora? En Estados Unidos existe un servicio llamado Invisible Girlfriend[20] que contrata a mujeres para que mantengan conversaciones con hombres por SMS como si fueran sus novias. Las mujeres reciben cinco dólares por cien mensajes. «¿Qué es una *invisible girlfriend*? La versión digital de una novia sin los inconvenientes de una de verdad», afirma el reclamo publicitario del servicio, que reivindica tener setenta mil usuarios. Puedes crearte una novia falsa a medida, pedirle que sea más tierna o impertinente, inventarte cómo os conocisteis, etc. Pero, sobre todo, el principal atractivo del servicio es que la novia invisible siempre responde a tus mensajes en cinco minutos. Siempre.

«Sabes que "te diré algo" quiere decir que solo vendrá si no encuentra un plan mejor, ¿no? —me suelta mi amiga Hannah—. Pregúntale qué hace; si no te responde, ya lo sabes.»

Tiene razón, pero me da mucho miedo parecer necesitada. Para mí es el peor insulto de todos, el pasaporte para una soledad eterna. Para que te quieran, hay que fingir que no te importa, ¡todo el mundo lo sabe, Hannah! Quiero esconder mi desasosiego y mi necesidad de amor.

En una entrevista en France 2, en 1977, tras la publicación de *Fragmentos de un discurso amoroso*, Roland Barthes explicó que lo que nos resultaría obsceno en lo sucesivo ya no iba a ser la sexualidad, sino el sentimentalismo. «En la actualidad, el amor apasionado, el amor romántico, ya no está de moda. [...] Si se quisiera reivindicar una perversión o una sexualidad, el sujeto dispone, desde hace veinte años, de un lenguaje teórico que le ayudará a comprender-

---

20. «I was an invisible girlfriend for a month», *SplinterNews.com*, 7 de septiembre de 2015 (en línea).

se y a afirmarse. Pero si sucede que se enamora como lo hacían en tiempos de Werther, bueno, en ese caso, nadie de su entorno contesta. [...] Se ha producido una inversión y, ahora, estoy seguro de que a un sujeto —y subrayo sujeto para no posicionarme antes de tiempo sobre el género de ese sujeto—, a un sujeto enamorado le resultará muy difícil vencer esta especie de tabú de la sentimentalidad, mientras que el tabú de la sexualidad, hoy en día, se transgrede con mucha facilidad.»

Sí, eso es, me siento obscena, sudorosa, desagradable, por pegarme al teléfono y entristecerme al ver la lucecita verde, aún verde, siempre verde. ¿Por qué no me escribe? ¿Qué he hecho? Hablo con mis amigos, pido una cerveza, me fumo un cigarro, me río de una broma, pero en mi cabeza se desarrolla una película muy distinta. O a lo mejor son dos. Rememoro la última noche que hemos pasado juntos, revivo lo que dije. Paso de un escenario a otro. En el primero, estoy convencida de que no volveré a verlo jamás. Me acuerdo de que, claro, debí de incordiarlo con mi reacción al artículo de *Inrocks*. Se acabó, no volverás a verlo jamás, habrá encontrado a otra chica, más superficial, ¡más divertida! Y mi corazón se contrae. No, no, cambio de escenario. ¡Seguro que dará señales de vida! ¡Estará liado con sus amigos!

Flaqueo y cojo el teléfono. Miro en Facebook Messenger a qué hora se conectó por última vez. Jarro de agua fría. Activo hace treinta y tres minutos. Su silencio es una decisión voluntaria. Ya casi es medianoche, no vendrá, tengo que rendirme ante la evidencia. No «me dirá algo».

Pienso en cuántos seremos, y eso me ofrece un poco de consuelo. ¿Cuántos seremos los que, en este mismo instante, escudriñamos las dos flechas azules del WhatsApp que confirman que nuestro mensaje ha sido leído pero sigue sin respuesta? De nada sirve refugiarse en la duda, limar las aristas con suposiciones: ¿Se le habrá acabado la batería? ¿Estará durmiendo? ¿En el cine? ¿Y si a lo mejor no ha mirado el móvil? No, ya no hay dudas, solo la certeza de un silencio deliberado.

Varias horas después, soy incapaz de dormir y recorro los kilómetros vacíos de Instagram a Facebook pasando por Twitter. En la pantalla azul del teléfono, que brilla en la oscuridad de mi habitación, busco en Google «*Tinder makes me*» (Tinder me hace), para ver las sugerencias que me ofrece el motor de búsqueda. En gris, bajo la caja de búsqueda, me muestra las combinaciones de las palabras más buscadas. «*Tinder makes me feel depressed / lonely / empty / anxious / feel bad / insecure*», me propone Google. Me detengo un instante y vuelvo a sonreír. ¡Al menos no soy la única que se siente sola! Algo es algo, ¿no? Pero, sobre todo, acabo de encontrar mi pregunta para Sean Rad. Ya ves, ¡voy a entrevistar a Sean Rad! ¡Tu vida no está tan mal, Judith! Vuelvo a sentirme alegre.

¿A todo el mundo le pasa o soy la única que vive todas las emociones en unos segundos, como cuando pasas el puntero por todas las opciones del «Me gusta» de Facebook? Pam, los iconos crecen y desfilan uno detrás del otro —me gusta, me encanta, me disgusta, río, lloro—. ¿Le pasa a todo el mundo o solo a mí?

CAPÍTULO 7

Cuarenta y cinco millones al día

En el lavabo apenas se oye la música, pero las paredes tiemblan con la vibración de los graves. Creo que son las 3 de la mañana. He llevado a mis amigos de Londres a un club a orillas del Sena. Reprimo un bostezo y saco del bolso un rotulador rosa. Me lo he comprado ese mediodía. Después de pensar en todos los que, como yo, se sienten desgraciados por esperar a que su maldito teléfono se digne a recibir un mensaje, he decidido escribir palabras de ánimo en las paredes de los baños de bares y clubs. Sí, de ánimo. En los baños, porque es el sitio privilegiado en el que las chicas se reúnen —en la universidad o incluso en el trabajo años después—, el sitio íntimo en el que se refugian para reír, llorar, recomponerse. Tengo ganas de compartir un poco de sororidad, incluso amor, creo. «*Swipe right on yourself*», escribo con cuidado, aunque no es fácil, pues la punta del rotu se engancha con el revestimiento de las paredes del cubículo prefabricado.

Más tarde, me asociaré con una amiga y publicaremos las fotos de los grafitis en Instagram[21]. Los escribo sobre todo para mí, intento hacerme sentir bien. Difícil, porque no me quito de la cabeza las aterradoras estadísticas de *Dataclismo*, que dicen, sin ambages, que pierdo valor con cada día que pasa.

Tengo la sensación de que, como mujer, llevo en mi cuerpo una bomba de relojería. No, peor, yo soy la bomba de relojería. Siento que me acerco al momento de la explosión que supondrá el fin de mis años «follables». Pero antes tengo que encontrar la manera de atrapar a un tío que, además, sea un padre en potencia, pues cuando se acaben mis años de «follabilidad», tengo que elegir entre ser madre de familia, solterona, loca de los gatos o *cougar* desesperada.

Esa idea me enfurece y aprieto más fuerte al escribir con el rotulador.

Unas horas antes, he entrevistado a Sean Rad por teléfono, tras ensayar al mediodía con Hannah para hablar con un inglés perfecto (ella es australiana).

Llegado el momento, encierro a mis invitados en mi habitación con una botella de vino, un plato con quesos y la prohibición expresa de entrar en el salón (solo les dejo ir al baño de puntillas). Estoy de los nervios, pero me río con Hannah ante el panorama: «Si te viera el mandamás de Tinder, se partiría de risa», dice burlándose de mí, pues, como hemos decidido salir justo después, me dispongo a hacer la entrevista peripuesta con unos pitillos de cuero

---

21. Instagram.com/toilets_queens_berlin

y una camisa negra. Cuando descuelgo el teléfono, tengo palpitaciones.

Louis y Julia me llaman para conectarme con una sala de conferencias. Le sigue una presentación de nombres y cargos. Vicepresidente de producto, director de marketing, ya no sé quién es quién, solo que hay mucha gente al otro lado del teléfono.

Le hago la primera pregunta a Sean Rad, la pregunta promocional:

—Tinder presenta hoy una nueva funcionalidad en colaboración con Spotify que permite añadir los gustos musicales a cada perfil. ¿Por qué cree que es importante esta novedad?

Responde con una sonrisa en la voz y despliega sus argumentos.

—Mis gustos muestran un poco quién soy, las canciones que me gustan dicen algo sobre mi personalidad. Queremos ayudar a nuestros usuarios a entablar una conversación y que llegue a buen puerto. ¿Hay algo mejor para romper el hielo que hablar de música? Ya hemos revolucionado cómo se conoce la gente, ahora queremos revolucionar cómo intiman y entablan una relación.

«Eso ya ocurre —pienso—, aunque no necesariamente como a mí me gustaría.»

—Cuando un usuario se conecte a Tinder, ¿la aplicación mostrará primero los perfiles que tienen gustos musicales parecidos a los suyos?

—Sí. Nos valemos de una serie de datos, como las páginas de Facebook que los usuarios siguen, los amigos en común de Facebook, su posición geográfica y sus gustos musicales para mostrar primero los perfiles que más podrían gustarles.

«O para asignarme una puntuación Elo y mostrarme perfiles de mi nivel», digo para mis adentros.

—Entonces, ¿estoy condenada a encontrar solo hombres que se me parecen? —pestañeo sin parar, aunque estemos hablando por teléfono, para permitirme este pequeño desvío de nuestra lista de preguntas previstas.

—¡No! —mi pregunta lo divierte—. No se te oculta ningún perfil de Tinder, puedes ver a todo el mundo. Es solo una cuestión de jerarquización. Si las personas con tu mismo gusto musical no te gustan, sigue deslizando.

Tinder dice que tiene sesenta millones de usuarios en todo el mundo. Si por culpa de una puntuación Elo mala, mi perfil acaba sistemáticamente al final de un montón de ciento cincuenta mil personas, puede que técnicamente no esté escondido, pero en la práctica es poco probable que alguien lo vea.

—¿En qué se diferencian los usuarios franceses del resto de usuarios de Tinder?

—Los franceses chatean durante más tiempo antes de quedar, por ejemplo. Una semana de media. En Francia os tomáis el amor muy en serio, lo sabemos, y por eso nos interesamos en particular por los usuarios franceses. Tinder es muy popular en vuestro país. A nivel mundial, Francia es el cuarto país en número de descargas de la aplicación. París es la ciudad con más usuarios durante el año, Niza en verano. Solo en Francia, se ven cuarenta y cinco millones de perfiles al día.

Cuarenta y cinco millones al día. Apenas puedo imaginar cuánto es eso.

La entrevista sigue hasta la última pregunta de la lista oficial.

—Bueno, muchas gracias, Judith…

—¡Esperad! Hay quienes dicen que Google Suggest[22] es un «colectivo inconsciente de internet». Cuando escribimos en Google «*Tinder makes me...*», obtenemos «triste / deprimido / solo / nervioso / inseguro». ¿Qué opina Sean Rad al respecto?

—Sean tiene una agenda muy muy apretada, así que, Judith, esa la dejamos para la próxima ocasión —corta Louis—. ¡Muchísimas gracias!

—No, no pasa nada —interrumpe el CEO—. Es una pena que no esté en Los Ángeles, Judith. Le enseñaría los cientos, miles, de cartas de agradecimiento que recibo, las invitaciones de boda y anuncios de nacimientos. De esas alegrías no habla nadie, pero nos sentimos muy orgullosos de ellas.

—Pero, si está orgulloso de esas historias de amor, es...

—Muchísimas gracias, Judith. Ha sido un placer hablar con usted, estamos encantados. Tenemos que irnos. Muchas gracias, de verdad. *Au revoir* —me dice una voz femenina con ese alegre «adiós» en francés al final.

Se terminó.

No he sacado mucha información para mi investigación. Los perfiles no se ocultan en función de su puntuación, tan solo se jerarquizan. Aunque, con semejante volumen de perfiles, da igual. Pero ahora no tengo tiempo para la introspección, tengo que redactar la entrevista a mil por hora para poder liberar, por fin, a los invitados que se impacientan tras la puerta.

---

22. Funcionalidad que añadió Google en 2004 y que sugiere palabras clave asociadas a lo que se escribe en la caja del motor de búsqueda.

¡Paul-Olivier Dehaye me ha respondido! ¡Bien!

«¡Qué guay, qué guay, qué guayyyyy!», canturreo sola por la cocina. Mis invitados se han marchado al alba en el Eurostar, antes de ir a trabajar. «¡Qué guayyyy!»

Paul-Olivier Dehaye es un matemático suizo, licenciado por la prestigiosa universidad estadounidense de Stanford, situada en pleno Silicon Valley. En diciembre de 2016, ayudó a Mounir Majhoubi, entonces presidente del consejo digital francés, a obtener sus datos personales de Uber. Habían descubierto que la aplicación seguía geolocalizando mucho después de terminar la carrera con uno de los conductores del servicio. Paul-Olivier Dehaye también ha sido una fuente importante para *The Guardian* a la hora de destapar el escándalo del *microtargeting* político que hizo el equipo de campaña de Trump con Cambridge Analytica, a partir de datos extraídos de Facebook. El Parlamento Europeo tiene previsto celebrar una comparecencia al respecto. Concertamos una cita.

—Me alegra poder ser de ayuda, pues pareces muy indignada con esto de la puntuación Elo —Paul-Olivier sonríe mientras se instala frente a mí en la cafetería, con su acento suizo y mirada amable.

—¡Claro! ¿Usted no?

A lo largo de mi investigación no dejará de sorprenderme que tenga que explicar qué es lo que me molesta de esa idea.

—Sí, claro. ¡Pero si solo fuera una puntuación Elo! Te están evaluando cientos de veces al día, sin que te des cuenta. Tus datos personales sirven para asignarte una nota en Tinder, efectivamente, pero también deciden qué ofertas de empleo te llegan por LinkedIn, cuánto vas a pagar por

el seguro del coche, si puedes pedir un préstamo y, mañana, qué publicidad verás en el metro. Nos dirigimos hacia
una sociedad cada vez más opaca, un mundo cada vez más
abstracto, en el que los datos recopilados, incluso sin que
te des cuenta, como datos viejos de hace muchos años,
tendrán una repercusión enorme en tu vida. Al final, toda
tu existencia se verá transformada, predeterminada por
los datos que se han recopilado sobre ti.

La conversación con Paul-Olivier se extiende durante varias horas y me resulta apasionante. En el camino de vuelta a casa, veo la calle con otros ojos. En internet, la realidad se configura a medida que navego como si esta calle
cambiase en directo. Por ejemplo, este anuncio que tengo
a mi derecha estaría pensado para mí en función de mi
edad, mi género, mi talla, mi peso y, sobre todo, mi estado
emocional del momento, mis debilidades, mis angustias
y mis secretos; este otro del periódico se adaptaría a mis
opiniones, para halagarme o para fastidiarme, porque fas-
tidiar a los internautas provoca reacciones y, por tanto, acciones concretas, lo cual es ideal para las marcas y las redes
sociales; si entro en un bar, los hombres habrán sido selec-
cionados para que solo pueda ver los que se corresponden
con mi nivel de belleza.

Esta calle imaginaria que describo ya existe. Internet es
la vida real. Si mi espacio virtual es limitado, mi libertad
también. Todas estas decisiones las toman empresas pri-
vadas de forma arbitraria y secreta a partir de datos que
me conciernen, y no puedo preguntar cómo lo hacen. Los
algoritmos de empresas como Tinder son su propiedad
intelectual, la ley los protege. ¿Por qué? La receta de Coca-
Cola sigue siendo un secreto, pero sabemos que una auto-

ridad sanitaria certifica que es apta para su consumo. ¿Por qué nadie comprueba si el algoritmo de Tinder respeta nuestra dignidad? La matemática estadounidense Cathy O'Neil, que publicó en 2016 el libro *Armas de destrucción matemática*[23], promueve la introducción de una «responsabilidad algorítmica» y ha puesto en marcha una empresa de auditoría que da a los algoritmos un sello de calidad. ¡Pero es la única!

Por supuesto, sería ilusorio pensar que en la vida analógica no nos gobierna cierto determinismo; toda nuestra realidad está acotada, limitada, preconstruida por nuestro entorno social, nuestro color de piel, nuestra clase social, etc. El periodismo consiste, precisamente, en identificar ese determinismo para así aflojar las cuerdas que ponen trabas a nuestra libertad.

El que me cuestione la puntuación Elo se inscribe en el movimiento político global del capitalismo de vigilancia. Sobre esta idea teorizó Shoshana Zuboff por primera vez en 2015[24]. Para esta profesora de Harvard, el conjunto de la economía de este tipo de plataformas reside en la explotación de nuestros datos personales. Cada vez que nos conectamos a internet, somos, sin consentirlo e incluso sin saberlo, los sujetos de decenas de experimentos que determinan cómo vendernos productos de la manera más eficaz posible. Cada cosa que hacemos, cada gesto, se espía, monitoriza y registra, para después proponernos el

23. *Armas de destrucción matemática: Cómo el big data aumenta la desigualdad y amenaza la democracia.* Tr. Violeta Arranz de la Torre. Capitán Swing, 2018. [*N. de la T.*]
24. Shoshana Zuboff, «Big Other: Surveillance Capitalism and the Prospects of an Information Civilization», *The Journal of Information Technology*, marzo de 2015; y *The Age of Surveillance Capitalism: The Fight for a Human Future at the New Frontier of Power*, PublicAffairs, enero de 2019.

producto que satisfaga exactamente nuestras necesidades del momento o pueda presentarse como una solución milagrosa para nuestro estado emocional.

Para empezar, Tinder puede analizar nuestros datos y centrarse en los usuarios enganchados a la aplicación para proponerles que se suscriban a Tinder Gold. O para hacer que se cambien a otro portal de la galaxia Match, como OkCupid o PlentyOfFish. Si en Tinder solo te dan calabazas y empiezas a ver anuncios para OkCupid con el eslogan «Aquí, eres mucho más que un *selfie*», ya sabes el porqué.

En definitiva, Tinder «también comparte con socios publicitarios» nuestros datos personales, tal y como indican en su política de privacidad[25]:

> También podemos compartir esta información con otras empresas de Match Group y terceros (principalmente anunciantes) para desarrollar y ofrecer anuncios personalizados en nuestros servicios y sitios web o en las aplicaciones de terceros, y para analizar y elaborar informes sobre los anuncios que ves.

Es decir, Tinder se beneficia proporcionando el acceso a nuestra información a empresas que después van a explotarla para ofrecernos publicidad selectiva. No sería extraño pensar que Tinder puede vender el acceso a listas de personas clasificadas según su nivel de deseabilidad. O de chicas desesperadas y chicos deprimidos a quienes nadie responde jamás. O de adictos que pasan más de tres horas al día en la aplicación. En el sitio usdate.org, por ejem-

---

25. Extraído de la política de privacidad de Tinder: help.Tinder.com (en línea).

plo, cualquiera puede comprar listas de perfiles sacados de
portales de citas, con fotos y clasificados por origen étnico,
nivel de estudios, religión o, incluso, el tipo de silueta. Según las investigaciones que ha llevado a cabo la ONG de
defensa de los derechos digitales Tactical Tech[26], algunos
de esos perfiles se han sacado de Tinder.

Paul-Olivier me ha ayudado a escribir un correo electrónico que tengo que enviar al servicio jurídico de Tinder
para intentar obtener mi puntuación Elo y mis datos. No
está seguro de que vaya a funcionar, pero al menos incluye
los argumentos legales de rigor. Cuando llego a casa, lo
envío a la dirección general del equipo de privacidad de
Tinder.

Estimado Tinder:

Tal y como me autorizan el artículo 12 de la directiva europea 95/46/EC y el artículo 39 de la ley 78-17 del 6 de
enero de 1978, modificada en agosto de 2004, relativa a la
informática, archivos y libertades, así como el Data Protection Act [ley de protección de datos] del Reino Unido,
solicito obtener una copia de la totalidad de mis datos personales y la así llamada *Elo Score*.

La ley francesa debe aplicarse porque, por un lado, estos datos se han recopilado en territorio francés (véase el
artículo 5 de la ley 78-17). Por otro lado, el grupo Mee-
tic, empresa que pertenece a Match Group, al igual que
Tinder, posee una sede social en París. La ley del Reino
Unido también es aplicable porque la empresa matriz

---

26. Datadating.tacticaltech.org

de Tinder, Match Group, posee una filial cuya sede social europea se encuentra en el Reino Unido. En ambos casos, se aplica la jurisprudencia europea del Tribunal de Justicia «Google Spain SL and Google Inc. v Agencia Española de Protección de Datos (AEPD) and Mario Costeja González».

En particular, deseo destacar los artículos de las «disposiciones generales relativas a los delitos contemplados en la presente ley» de la Data Protection Act británica de 1998, así como los del capítulo VIII «Disposiciones penales» de la ley francesa 78-17 sobre «informática y libertades», que tratan no solo la responsabilidad de personas jurídicas, sino también la de los empleados que en ellas operan.

Reciban un saludo cordial.

CAPÍTULO 8

Exclusividad frente a cantidad

La historia con Espejismo termina cuatro meses después de empezar. Una noche en la que hemos quedado para vernos, le interrogo sobre lo que somos, dónde cree que vamos, y llego a la conclusión de que esperamos cosas muy distintas. Otra ruptura que no lo es en realidad. Volveremos a intentar salir juntos, pero terminará igual, sin que nada empiece realmente.

Cuando me lo cruzo varias semanas más tarde en una fiesta, me presenta como su ex. Me doy cuenta de que, para él, estuvimos juntos. Yo no tuve esa sensación, y eso me frustra mucho, así que me marcho de «vacaciones de trabajo» a Berlín durante tres semanas para intentar despejarme.

Una vez allí, decido no volver a París. Solo un par de semanas para vaciar la habitación.

La vida de autónoma en París es difícil de sostener. El alquiler de ochocientos euros por una habitación pequeña en un piso compartido se come buena parte de mis ingresos. En Berlín encuentras alojamiento por la mitad. Al menos esa es la razón que doy a todo el mundo para justificar mi decisión. La realidad es mucho más prosaica.

No hablo ni una palabra de alemán y descubro la ciudad en pleno mes de enero, cuando se hace de noche a las 4 de la tarde. No conozco a nadie. Es lo primero que me gustó. No entiendo nada. Nada de nada. Las conversaciones de mis vecinos de metro, los tíos que hablan en la calle, los anuncios en las paredes. Mi atención no se capta sin mi consentimiento. Como no los entiendo, los demás y sus miradas me parecen menos importantes. Me vuelvo a centrar y me escondo en la noche. Doy unos paseos larguísimos con un gorro calado hasta las orejas mientras veo caer la nieve y me pierdo sin parar.

Todas las tardes voy a la misma cafetería *gemütlich* para escribir mis artículos. *Gemütlich* es una palabra alemana que hace referencia a un tipo de comodidad agradable y envolvente; una forma de vivir propia de los países en los que hace frío. Siempre me instalo en el mismo sitio, en un sofá grande de terciopelo rojo, junto a una chimenea y con el portátil sobre las rodillas. A fuerza de trabajar así, sentada de cualquier forma, voy a acabar con una tortícolis crónica.

Además, siempre me encuentro con un amigo que también se pasa la vida en la cafetería. Lo reconozco por su pañuelo rojo alrededor del cuello. Nos hemos adoptado, él y yo; cada vez que entro por la puerta y me acerco a él, leo la alegría en su lenguaje corporal. Se llama Hektor y, aunque al principio no me atrevía, me encanta acariciar su vientre cálido y rascarle detrás de las orejas.

Me encantan los perros. Todos me recuerdan a Loula, la perrita blanca y negra con la que crecí y con la que me pasaba horas y horas paseando, con los auriculares enchufados a las orejas. Berlín es una ciudad muy canina. Aquí es normal llevar a tu perro a todas partes, incluso al trabajo o a hacer la compra. De hecho, ese es el primer artículo que vendo desde Berlín a *Management*: «Trabajar con tu perro, ¿un hábito de los alemanes del que podemos apropiarnos?». Además, en los baños de la misma cafetería, hay grafitis feministas como los que podría haber escrito yo: «*Your pussy is beautiful*» (Tu coño es hermoso), por ejemplo, escrito a lápiz.

Mis amigos me oirán hablar sobre cómo Berlín me parece el punto de encuentro de todos los treintañeros de Europa, un poco abatidos, un poco perdidos, pero también un poco creativos, un poco en busca de sentido, como yo. Siempre se encuentran pretextos para maquillar los impulsos. Esto es lo que ilustra mi encuentro con la ciudad: una cafetería con chimenea, un perro y grafitis provocadores. Me olvido de lo más importante. En el fondo, una certeza: jamás encontraré el amor en París.

Alquilo una habitación por quinientos euros en un ático de Neukölln. Me cuesta adaptarme. Los primeros meses son caóticos. Paso demasiado tiempo en los clubes de música techno de la ciudad y vuelvo de madrugada, indiferente. «¿A esto se reduce la vida? ¿No hay más?», me pregunto. Entre semana, me concentro en el trabajo.

Hoy me he citado con Thorsten Peetz, un sociólogo alemán de la universidad de Bremen. Está especializado en el
concepto de la «sociedad de la evaluación» y las apps para
ligar. Seguro que nos entendemos bien.

El restaurante donde hemos quedado no está lejos de
mi casa y voy andando, bajo la lluvia y un cielo plomizo.
Todas las mañanas me paso unos cinco minutos intentado
alisarme el flequillo con una plancha Babyliss y mi nivel
de confianza es muy proporcional al nivel de alisado de
mi pelo. De pronto, ya no me gusta tanto la lluvia. El restaurante se encuentra en una sala enorme, hay que pedir
en una especie de taquilla en la entrada y elegir entre dos
menús del día. En el mostrador, dos platos de muestra. No
sé si es comida real o de juguete, pero no me atrevo a to-
carlos. Me siento en frente del sociólogo.

A él le interesa especialmente el *swipe*: ¿qué nos impulsa
a deslizar a la derecha o a la izquierda cierto perfil? Me encanta el hecho de que exista un «sociólogo del *swipe*». «En
solo unos segundos, se interpreta una partitura muy com-
pleja, saturada de problemas sociológicos. Los estudios
muestran que los usuarios se construyen una ficción sobre cada una de las posibles parejas que se encuentran en
la aplicación. Esta anticipación los empuja a presentarse
de una manera determinada. Antes de deslizar, anticipan
igualmente si podrán gustar a esa persona o qué opinión
tendrá de ellos», explica.

Entonces, ¿la atracción sería solamente la anticipación
de una validación? Esa idea me llega. Casi me conmueve.
Nos visualizo a todos, haciendo *swipe* frenéticamente, en
un proceso supuestamente consumista, proclamando el
deseo de una satisfacción pura y llanamente sexual, pero
buscando, en realidad, una mirada que valide. Así nos atra-

pa Tinder, por nuestra necesidad visceral de validación. Escribo «*swipe right on yourself*» en las paredes, pero sé que solo mi amor propio no me bastará. Siempre necesitaré otra mirada que me demuestre que existo. La app se nutre de técnicas sacadas de los videojuegos y la astucia de los casinos para mantenernos en vilo, descargas de dopamina que recibimos en el momento oportuno, pero nos toca a todos en el mismo punto. Le confío a Thorsten que no escribo solo sobre el algoritmo de Tinder, que también quiero conocer mi nota de deseabilidad, porque la sola idea de su existencia me subleva.

Parece que no comparte mi indignación. Contaba con que los *geeks* de Silicon Valley me enviasen a paseo, pero creía que las ciencias sociales se pondrían de mi parte. Me asombra tener que explicarle por qué estoy indignada. ¿Cómo puede alguien creer que conoce mi valor a partir de la mera catalogación de una serie de estadísticas sobre mi edad, mi nivel de ingresos, mi talla o mi peso? ¿Quién se atreve a reducirme a una serie de números? La búsqueda de mi puntuación Elo, ¿es, en última instancia, una búsqueda existencial, una búsqueda de eso que en la antigüedad llamaban el «alma», eso que ningún algoritmo puede comprender? ¿Debería hablar de este tema con un sacerdote o un monje budista? Divago en mi monólogo interior mientras como la pasta que nada en su salsa como si fuera una sopa de fideos.

«Hay quien argumenta, como la intelectual Eva Illouz, que las aplicaciones para ligar conducen a una mercantilización de las citas y la intimidad —continúa Thorsten—. Discrepo: no se produce un intercambio financiero. Para mí, se trata más bien de empoderamiento.»

De vuelta a mi casa, investigo sobre Eva Illouz. No soy socióloga, pero sí creo que Tinder conduce a una mercantilización de las citas. Me compro su libro, *Por qué duele el amor*[27].

En él explica que los corazones no se nos rompen solo por nuestra culpa. Nuestra sociedad capitalista ha hecho del amor un mercado con ganadores y perdedores. Antes de Karl Marx, también se pensaba, por ejemplo, que la pobreza era el resultado de una bajeza moral y no el fruto de una organización social injusta. Entonces, mi tormento sentimental interminable, ¿no es necesariamente culpa mía? Según la autora, los sitios y las apps de citas han creado un mercado de la transacción íntima. Los usuarios compiten los unos contra los otros para ligar y se transforman ellos mismos en mercancía. Las mujeres heterosexuales que buscan una relación ocupan la posición más precaria del mercado, explica.

Cuando la entrevistaron para *The Guardian* sobre su libro[28], la socióloga explicó: «Los hombres usan sus proezas sexuales o el número de conquistas para sentirse validados. Las mujeres quieren ser amadas. Ellas son, por tanto, más dependientes de los hombres, ellas piden exclusividad cuando los hombres quieren cantidad».

Ruego de todo corazón que se equivoque. La situación que describe me desespera y, sobre todo, no quiero creer que estoy en la posición más precaria del mercado, que soy el escalón más bajo de la pirámide. No, no, ¡me niego! ¿Los hombres SOLO buscan cantidad? ¿Y las mujeres

---

27. *Por qué duele el amor: Una explicación sociológica.* Tr. María Victoria Rodil. Katz Editores, 2012. [*N. de la T.*]

28. «Love hurts more than ever before (blame the Internet and capitalism)», *TheGuardian.com*, 12 de febrero de 2012 (en línea).

NUNCA se sentirán atraídas, ellas también, por las conquistas en cadena? En fin, el amor es un milagro, y que la gente siga amándose, también. A veces es un milagro que podamos entendernos. Que lleguemos a abrirnos camino en medio de este bombardeo de órdenes contradictorias, esta incitación al engaño, a intentar extraer nuestro valor de lo que el otro pueda ofrecer; en medio de esta algarabía de todo lo que no nos decimos cuando hablamos; en esta mierda de partida de billar a tres bandas entre lo que queremos creer, lo que creemos que el otro cree y lo que pensamos que debemos hacer creer. Es un milagro que, a veces y a pesar de todo, encontremos en medio de toda esta tempestad una señal, un rayo de sinceridad que la traspasa.

Tras tomar algo con unos nuevos amigos *freelance* berlineses, me siento un poco decaída. No los conozco lo suficiente como para compartir con ellos mi melancolía. Me siento sola. Mientras me lavo los dientes, me miro fijamente en el espejo y echo un vistazo al móvil. Me dejo caer contra la pared del baño, cepillo de dientes en mano.

Voy pasando las apps de forma automática y me paro sobre el icono de la pequeña llama roja rodeada de blanco, una vez más. «Están todos aquí —me susurra el icono—, todos los demás están aquí, solo faltas tú. Nadie es irremplazable, Judith, ni Espejismo ni Husky. Diez, cien, te esperan solamente a ti.» Desde que vivo aquí, me he conectado prácticamente todos los días. He chateado con algunas personas, pero no he quedado con ninguna.

Abro la app y deslizo todos los perfiles a la derecha, uno detrás de otro. Si soy la única idiota que se enamora en

Tinder, si soy el último eslabón del *love*, si soy plancton, si eso es lo único que funciona, voy a entregarme a ello. Si soy la última débil de mi generación que sueña con el amor, les voy a mostrar de qué soy capaz, me voy a follar a todo París y a todo Berlín, yo solita, ¡voy a destrozarlos en su propio juego! ¡No haberme provocado! Copio y pego las mismas frases a mis cuarenta y cinco *matches* nuevos; ves, cuarenta y cinco *matches* en cinco minutos. «Igual es que no eres tan fea», me susurro, y me desprecio por encontrar en ello cierto consuelo.

Algunos ya me han escrito. «¿Qué te cuentas?», pregunta uno. «*Hello*», dice otro. «*English? My French is very bad!*» En una de mis fotos salgo cocinando y, unos minutos después, dos más me preguntan: «¿Qué tenemos para cenar?», la misma frase, palabra por palabra. La repetición de esta pregunta me exaspera. Que sí, que hay que entenderlo como un primer paso, una forma de empezar la conversación, de diferenciarse, pero me remite a mi propia insignificancia. ¿Cuántas veces me habré creído diferente cuando otra mujer hacía, palabra por palabra, la misma broma que yo? ¿Cuántas veces me habré creído única cuando no lo era? ¿Cuántas veces me he tragado frases copiadas y pegadas que creía que eran originales?

«Ya está, se acabó esto de ser la única chica romántica de Tinder», anuncio en voz alta. Elijo uno al azar y le doy caña, tecleo en la pantalla del móvil con rabia, las manos contraídas, casi me duele la cabeza de tanto fruncir el ceño.

«Salgo de una relación larga», preciso para maquillar la proposición indecente que estoy a punto de plantear, pues entiendo los códigos de mi época y sé que, como mujer, siempre tenemos que encontrar un pretexto para tener ganas de acostarnos con alguien. «Estoy buscando nuevas experiencias, hacer realidad mis fantasías... ¿Tú qué buscas?» «¡Jajaja!, sí que eres directa... ¡Me gusta!», me responde. «¿Qué fantasías? Me encantan las chicas aventureras como tú», dice un segundo al que le he contado la misma historia. «Yo tampoco quiero nada serio», afirma un tercero. «Precisamente estoy buscando un rollete para el fin de semana, ¿te animas?», me pregunta otro.

«Así de simple es», me doy cuenta, entre fascinada y asqueada. «Solo nos tenemos que agachar para cosechar, estos tíos harían cualquier cosa por echar un polvo», me digo mientras sigo calentándolos. Eva Illouz tiene razón, los hombres se acostarían con la primera chica con la que se cruzasen.

«Dime qué querrías hacerme», intimo con una, dos, tres personas. «Has conseguido excitarme en menos de cinco minutos.» «Me gustaría plantarme en tu casa y que lo descubras todo de mí, todo de golpe, mi cara, mi cuerpo, el sonido de mi voz y mi polla, que te meterás en la boca sin rechistar.» «Haré todo lo que me pidas para hacer que te corras, quiero hacer que te corras noches enteras.»

Me acuerdo de todas las respuestas, pero no sé quién escribió qué, nunca lo supe. Los perfiles de unos y de otros se mezclan como una masa informe, la figura de un hombre que no es uno solo. Aquello no pasó tan rápido, hubo algún momento de espera en el que miraba la pantalla fijamente, pero recuerdo que me quedé en el mismo estado emocional, enardecida, excitada por mi minúsculo poder, por mi lado oscuro, por mi ego, renunciando a toda sutileza, a toda ambivalencia, a toda sinceridad.

«¿He conseguido ponértela dura?», pregunto, e imagino unos sexos erectos en sincronía; la imagen me satisface tanto como me desespera. Entonces dejo de responder

y, oh, eso es lo que más placer me proporciona. Disfruto
tanto al ver cómo intentan seguir con el juego. Eso es lo
que me hace sentir poderosa. Uno dice: «¿Te has dormido,
diablilla? ¡Escríbeme!». Otro se impacienta: «¿Has desapa-
recido? No entiendo nada». Otro me hace sonreír: «¡Demasiado bonito para ser verdad!».

¿Cuánto tiempo ha pasado? ¿Una hora, quizás? Me levanto, cojo mi cepillo de dientes eléctrico, lo enciendo y
me lo pongo, por el lado liso, bajo la falda, contra el clíto-
ris. Me quedo donde estoy, sin aliento. Me siento asqueada,
excitada, reconfortada por dejarlos plantados, reconfortada por el pequeño incentivo de no ser la única que espera
un mensaje que nunca llegará. Muevo el cepillo de dientes
suavemente en círculos y siento que mi piel arde al imaginarme a esos hombres que levantan el teléfono, miran si
hay una respuesta y lo vuelven a dejar. Visualizo esta es-
cena una y otra vez. Una proyección absoluta de mis mie-
dos, de mi espera, de mi angustia, pero, como repetírmelo
sienta tan bien, ellos esperan, ellos también esperan como
idiotas, ya no eres la única que quiere algo que no llegará,
que no llegará más, que, sin duda, no llegará nunca más.

El suspiro de mi placer carga con el peso de toda mi
amargura, de toda mi angustia, y se ensortija alrededor de
mi soledad. Mi ego henchido artificialmente por la atención de esos tíos no puede ayudarme, y mi orgasmo trági-
co me deja tocando fondo.

CAPÍTULO 9

Quisiera_que_alguien_ me_escribiera

Me ha escrito Laurie Braddock, del servicio jurídico de Match Group, la empresa a la que pertenece Tinder:

> Le envío en adjunto una carta en respuesta a su solicitud, así como sus datos personales. La contraseña que necesita para abrir el documento se le facilitará en otro correo electrónico.

Se me acelera el corazón. No me atrevo a abrir los documentos adjuntos. Le reenvío el email a Paul-Olivier Dehaye de inmediato. «¡Genial, Judith!», me responde. Me levanto, salgo de mi estudio y me dirijo por inercia a la cocina. Giulia[29], mi compañera, no ha lavado los platos. Los friego yo, caliento agua, me preparo un café. Vuelvo a mi estudio, respiro hondo. Abro la primera carta de Tinder.

Estimada Srta. Duportail:

Le escribimos en respuesta a su correo electrónico del 2 de mayo de 2017 y a la solicitud que nos ha presentado. Una vez comprobada su identidad, le enviamos una copia de los datos personales asociados a su cuenta de Tinder. Como puede ver, hemos suprimido la información relacionada con terceras partes. En respuesta a su pregunta sobre «la así llamada *Elo Score*», le informamos de que no compartimos información relacionada con el funcionamiento de nuestro sistema de emparejamiento.

Bueno, ya me imaginaba que no iban a soltar mi puntuación con tanta facilidad. ¿Qué secretos tendrá ese «sistema de emparejamiento» para que Tinder lo proteja tanto?

Febril, abro el segundo fichero e introduzco la contraseña. Tarda varios minutos en cargarse. ¿Qué me dispongo a descubrir? ¿Qué sabe Tinder que yo ignoro? Estoy en un estado emocional extraño, una mezcla entre la sensación de recibir el veredicto de un test psicológico extremadamente sofisticado y la de consultar los resultados de un examen, entre emoción y aprensión. Finjo no escudriñar el molinete del cursor y pongo en práctica mi técnica habitual, como cuando hago que no veo los mensajes que no quiero responder.

---

29. Nombre ficticio.

El PDF por fin se carga. Se llama *Archivos Judith Duportail - Encriptados*. El nombre me hace pensar más en la Stasi que en una aplicación de citas. Me detengo en la primera página: 1/802, me indica el documento. ¿Ochocientas dos páginas? ¿Ochocientas dos páginas de archivos de Judith Duportail? El acopio de datos personales no tiene nada de virtual ni de abstracto, consta de cientos y cientos de páginas de información sobre nosotros que almacena Tinder. Echo un vistazo al teléfono y me siento mareada, en él tengo al menos veinte aplicaciones: una para controlar la regla, la del banco, la de la meditación, los juegos... ¿Tendrán todas ellas ochocientas páginas sobre mí? Y Facebook, ¿cuántos miles? El teléfono se me revela ahora como un maldito delator. Si todos esos datos recopilados sobre mí tuvieran forma física, ¡no podría levantarlos!

El documento no está redactado ni en lenguaje informático ni en un lenguaje normal. ¿Nos expresaremos todos así dentro de poco? Si es así, habrá que ir buscando la forma de describir esta neolengua. Empieza:

active_time: 2017-05-17T16:49:58.712Z

La hora exacta de mi última conexión registrada por el servidor. El 17 de mayo de 2017 a las 16:49, 58 segundos y 712 centésimas. Continúa:

age_filter_max: 39
age_filter_min: 29

El rango de edad que he establecido para mis búsquedas.

birth_date: 1986-03-02T00:00:00.000Z

Mi fecha de nacimiento. Como Tinder no sabe a qué hora he nacido, solo hay ceros. En cambio, para mi nivel de estudios nos encontramos con palabras reales.

education: Has high school and/or college education

¿Por qué? ¿Quién ha escrito este documento? ¿Una persona o un programa? ¿Ambos? ¿Quizás una persona ha revisado el conjunto? Me estremezco al imaginarme a los empleados de Tinder recopilando mis datos y riéndose de mí, pero se lo he servido todo yo solita y en bandeja de plata. Un libro abierto. Y eso que nos dicen claramente que toda esta información puede filtrarse en cualquier momento. Escrito con todas sus letras en la *Política de privacidad*: «No podemos prometer, y no debes esperar, que tu información personal esté segura en todo momento».

La primera página cuenta quién soy para ellos. Mi dirección de correo electrónico, mi cuenta de Facebook. La fecha en la que abrí la cuenta (12 de diciembre de 2013). Dónde he estudiado.

schools
name: Sciences Po
type: graduate school
name: La Sorbonne
type: College

Dónde trabajo y dónde trabajaba antes.

jobs
company

name : Les Journalopes
title : cofondatrice
company
Le Figaro

Después, en unas diez páginas, los enlaces que llevan a todas mis fotos de Instagram, porque he conectado las dos cuentas. Bajo la palabra «*interests*», a continuación, la totalidad de las páginas de Facebook que me gustan. «*interests*» aparece así, sin «i» mayúscula, sin los dos puntos; no hay reglas tipográficas en el universo de los datos. Bueno, estoy equivocada, claro que hay reglas. Ese guion bajo entre_ las_palabras, por ejemplo, no está ahí por casualidad. El documento está escrito en un lenguaje que no conozco. Soy yo la iletrada que no entiende la lengua del nuevo poder. Ahora sé lo fácil que es burlarse de mí y de mis datos. Aunque se me concediera el pleno acceso a los servidores de Tinder, no podría ni leer el lenguaje con el que operan. Me juro aprender a escribir en código cuando termine con todo esto, pues me siento como una mesopotámica que se hubiera negado a aprender a leer cuando se inventó la escritura. ¡O como un caballo cuando se inventó el coche!

Quizás el que hayan listado la totalidad de mis «Me gusta» de Facebook no parezca relevante, pero a partir de esta información es muy fácil saber quién soy, de dónde vengo, cuál será mi comportamiento en el futuro.

La primera persona que investigó esto fue Michal Kosinski, profesor de la universidad de Standford y autor de estudios sobre la segmentación por personalidad. En 2015 escribió un artículo científico en el que explica cómo una inteligencia artificial puede deducir la personalidad de alguien y su comportamiento solo con su rastro digital[30], mejor que cualquier humano. Según la investigación, a partir de un mínimo de sesenta y ocho *likes* de un internauta, se puede predecir su color de piel (en un 95 %), su orientación sexual (88 %), sus convicciones políticas (85 %) e incluso concluir si sus padres están o no divorciados.

«El hecho de que los ordenadores superen a los humanos a la hora de juzgar y predecir la personalidad humana presenta retos importantes, pero también una enorme oportunidad en el campo de la psicología, el marketing y la vida privada», escribe el investigador en el artículo.

La universidad de Cambridge también ha desarrollado una inteligencia artificial que analiza nuestro perfil psicológico a partir de nuestros *likes* de Facebook. El programa se llama *Apply Magic Sauce*. En su página web se puede probar una versión gratuita que permite hacerse una idea de lo que realmente revelamos al darle a «Me gusta» a la página de Haribo o de Nescafé. Hago la prueba conmigo para ver cómo funciona y aprendo que «es muy probable que vote a la derecha» en las próximas elecciones porque me gustan las páginas del *New York Times*, de Urban Outfitters y de Arianna Huffington y que, estadísticamente hablando, las personas a las que les gusta esa combinación de páginas votan a la derecha. Estas técnicas son las que inspiraron a los equipos de Cambridge Analytica para dirigirse a los electores potenciales de Trump en Facebook con un mensaje a medida.

---

30. «Computer-based personality judgments are more accurate than those made by humans», *PNAS*, enero de 2015.

El documento me muestra a continuación la lista completa de mis ochocientos setenta *matches*. Más bien, de los ochocientos setenta *matches* que me han escrito o a los que yo he escrito. Ochocientas setenta personas. Si me lo hubiesen preguntado, a bulto, habría dicho que en Tinder he chateado con unas cincuenta personas en total. ¿Cómo me he podido olvidar de tantas? Las conversaciones se muestran una detrás de la otra, numeradas, sin referencia al nombre o la foto del usuario, en un estilo mucho menos lúdico que en la aplicación.

Leo la primera, bueno, la n.º 870. Me da pavor, y con razón. Apenas unas palabras y vuelvo a sentir de inmediato esa mezcla de humillación y rabia que despiertan esos tíos que fuerzan, a los que no les importa lo que pienses, que ni tan siquiera buscan seducirte, que dan por sentado que todas las mujeres tienen que responder a sus mensajes podridos y llenos de faltas, que te consideran de entrada como su sirviente y protestan si no eres «dócil», si no te plantas en su casa en cuanto te lo piden para dejar que se corran dentro de ti, e insistirán hasta que se cansen de insultarte. Según un informe de la ONU[31] publicado en 2015, un 73 % de las mujeres hemos recibido insultos y acoso en línea. Un 73 %. Os transcribo los primeros mensajes como lo ha hecho Tinder, para que os hagáis una idea. Después, continúo en lenguaje «humano».

To you
Coucou
Sent On: Sun, 07 May 2017 20:22:21 GMT

---

31. «Urgent action needed to combat online violence against women and girls, says new UN report», *UnWomen.org*, 24 de septiembre de 2015 (en línea).

To you
Love ur insta!
Sent On: Sun, 07 May 2017 20:22:25 GMT
To you
U online Judith?
Sent On: Sun, 08 May 2017 15:11:57 GMT
To you
Still awake?[32]
Sent On: Sun, 08 May 2017 21:01:23 GMT

Cuatro días más tarde, vuelve:

Love ur insta dear! Follow back
Jaja ntz ntz ntz ntz
Fuck babe
I love to come!
I love to lick pussy
Right now orgasmus
In the long run: rekatiobship [sic]
Hmm, Babe come on, I'd ride u hard from behind,
Deep n warm
Why don't u invite me!
I'd spread ur wet pussy lips softly n put my warm
tongue deep inside[33]

Ojeo las páginas siguientes al azar:

32. ¡Me encanta tu Instagram! / ¿Estás conectada, Judith? / ¿Sigues despierta?
33. Tía, me encanta tu Instagram, ¡sígueme también! / haha plas plas plas / Follemos, tía / Me encanta correrme / Me encanta lamer coños / Orgasmo ya / A la larga busco una relación / Mm, venga, nena, te daría por detrás / Hasta el fondo y caliente / ¿Por qué no me invitas? / Te abriría los labios de tu coño húmedo y te metería la lengua.

Match 847: Tienes pinta de tener tetas grandes, ¡respóndeme!

Match 848: Por lo que veo en las fotos, me gusta tu cuerpo. ¿Qué talla gastas? ¿Haces deporte a menudo?

Match 778: ¿Recibes muchas *dicks picks*? Venga, señorita locuaz, ¿qué haces esta noche?

Me aburro como una ostra.

Quizás por eso he olvidado la inmensa mayoría de mis conversaciones de Tinder. Para no dejar que me afectasen. Otro ejemplo:

Match 440: ¡Hola, Judith! Me encantan tus fotos, ¿qué hay para cenar?

Hello, hello, ¿no respondes?

¡Ey! ¿Quieres hablar?

Meeeaaaabuuuuurrooooo

Puta. De todas formas, ¡¡estás muy gorda!! ¡Chúpame la polla!

La gran mayoría de mis *matches* son conversaciones que empieza y mueren, unos «ey», «hola», «hola, Judith». En un montón de ocasiones, algún tipo de broma sobre el texto de mi perfil: «5 estrellas en BlaBlaCar».

Match 310: Es la primera vez que me encuentro a alguien con 5 estrellas en Blablacar… Estoy muy emocionado…

Match 217: Hola, ¿cómo estás? ¡Necesito compartir coche!

Es broma

Match 315: 5 estrellas en bla-car, ¡no está mal!

Algunas conversaciones me hacen sonreír. Esas también

las he olvidado. El Match 765 me asegura que habríamos podido tener «la familia más bonita del mundo». El Match 746 se hace el demógrafo: «¿Sabías que en Berlín vivís mil ochocientos franceses? #funfacts». Mientras tanto, el Match 628 espera impaciente:

—Hola, Judith, ¿estás en Francia?
—¡Sí! Pero solo un par de semanas, después vuelvo a Berlín. ¿Crees que podrás soportar la espera?
—¡Jajaja! ¡No estoy seguro!
—Puedes ver tus TedTalks para que te den ánimo.
—Sí, haré eso. ¡Cómo tener paciencia en modo pro!

Oh, los Matches 611 y 610 empiezan parecido. Les entro con la misma frase: «Pues no está tan mal esto del Tinder». Y a 609, 608, 607, 606, 605, 604, 603, 602, 601, 600, 599, 598, 597, 596, 595.

Era consciente, en el fondo, era plenamente consciente de lo que hacía. Otra cosa es verlo escrito negro sobre blanco en un PDF, sin un diseño gráfico que lime las aristas.

Me acuerdo muy bien de ese 1 de enero. Fue un mes después de dejarlo con Espejismo, antes de instalarme en Berlín. Espío su velada en Instagram mirando las cuentas de sus amigos y la suya. Debería estar ahí, fantaseo, con él, feliz. Mi noche no es desagradable, pero, evidentemente, a medianoche me siento triste por no tener a mi chico abrazándome fuerte como la morena que tengo al lado. Pero no quiero que se me note, no quiero dar lástima, ¡de eso nada! ¿Por qué me avergüenzo de estar soltera? ¿Por qué me da tanta vergüenza que no siempre sea fácil? Tengo la sensación de que daría menos pena si hubiera defraudado impuestos. «¿Algún día me tocará a mí?», me pregunto al volver a casa a las 6 de la mañana.

Lo que sigue, ya lo adivináis. Entre la vigilia y el sueño, mientras la habitación se llena del gris de las mañanas de enero, cojo el teléfono y deslizo, deslizo, deslizo, y hablo con todo el mundo con la esperanza de aligerar el peso de mi soledad. «No puedo empezar el año que viene así», me juro. Por escrito, con los que ya me han respondido, me muestro completamente distinta, dinámica, positiva: «Acabo de volver, ¡me he pasado la noche bailando! Un buen plato de espaguetis ¡y a la cama!». Match 603 me dice que se siente triste por estar en Tinder así, un 1 de enero. Oh. No vive en París, solo ha venido a pasar el Año Nuevo.

Chateo a lo largo de doce páginas con Match 603, le digo que «me encanta su barba», que «ah, ¿nunca has tenido una cita de Tinder? Yo puedo enseñarte»; le aseguro que «yo tampoco tengo conversaciones agradables en Tinder muy a menudo», antes de dejar que esta se extinga. Cruel indiferencia. Sé que, en ese momento, solo quiero que mi teléfono muestre notificaciones. Recuerdo leer de adolescente el poético título de un libro de Anna Gavalda, *Quisiera que alguien me esperara en algún lugar*. Podría plagiarlo para dar un título a mis ochocientas páginas. En vez de *Archivos Judith Duportail - Encriptados* sería *Quisiera que alguien me escribiera*. O, más bien, *quisiera_que_alguien_me_escribiera*. No lo hice solo con Match 603, sino con muchos más.

Poco a poco, la realidad va tomando forma bajo mis ojos. Leo las páginas y páginas de conversaciones y me digo, como si hablase de otra persona, porque sin duda es demasiado duro: «Esta chica está loquísima y completamente enganchada a Tinder». Lo primero que siento es una gran vergüenza. «Estoy completamente loca», enuncio ahora, pero en voz alta esta vez. Tengo una adicción, una necesidad patológica de reafirmación, constante, insaciable, y me he aprovechado cientos de veces de Tinder para intentar llenar ese vacío. Pero el cubo tiene un agujero y, aquí estoy, tres años después de instalarme la aplicación, sintiéndome cada vez más vacía y contemplando la extensión de mis neuras.

Estoy completamente loca. Me leo diciendo por segunda vez la misma broma, que estoy en Tinder porque soy una asesina en serie contratada para una investigación especial. ¿Cómo me he podido olvidar de toda esta gente? ¿Qué otras barbaridades habré cometido a lo largo de mi existencia que no recuerdo? Y esos tíos que me insultan, ¿también lo han olvidado? ¿Creerán que su comportamiento es ejemplar, solo porque rechazan su *dark side*? ¿Acaso internet se ha vuelto una válvula de escape para nuestras locuras?

Unos días más tarde, converso con Eric Klinenberg, sociólogo de la universidad de Nueva York, sobre el contenido de mis ochocientas páginas. Este intelectual se especializa en la soltería y las nuevas formas de relacionarse. Saltó a la fama en 2012 con su libro *Going Solo*. En 2015, escribió junto al humorista y guionista Aziz Ansari *Modern romance: el amor en la era digital*[34], en el que intentan dilucidar el alcance de los cambios que ha traído la tecnología a nuestras relaciones amorosas.

«Estoy atónita porque me comporto mucho peor de lo que creía», explico por Skype al sociólogo. «No me sor-

---

34. *Modern romance: El amor en la era digital.* Tr. Jaime Valero Martínez. Libros de Seda, 2016. [*N. de la T.*]

prende en absoluto —me responde—. Internet es, cada vez más, una válvula de escape a la que recurren todos para desquitarse con los demás.» No soy mucho mejor que Match 847 o 848. Qué experiencia tan extraña es acceder a este nivel de introspección gracias a una herramienta de vigilancia. Como si la Agencia de Seguridad Nacional desclasificase sus archivos con fines terapéuticos.

La constatación es amarga, cortante, casi me noquea como un gancho de izquierda. Pero también me siento liberada. Ya no puedo seguir contándome historias. Tengo un problema: una necesidad patológica de demostrarme que puedo gustar y una imposibilidad para ir más allá y crear un vínculo. Empiezo una y otra vez la misma no-historia.

No tengo los medios para pagarme una terapia clásica, así que me pongo manos a la obra. En las semanas que siguen, paso todo mi tiempo libre leyendo textos sobre adicciones y encuentro las palabras para describir «mi locura». Descubro la teoría del apego de John Bowlby, según la cual hay cuatro grandes tipos de apego: seguro, ansioso, evitativo y ambivalente. Las personas que sufren un trastorno ansioso del apego sienten, como yo, la necesidad permanente de sentirse reafirmadas y, de tanto temer que se acaben, empujan sus historias hacia el fin.

Por mi parte, tengo un apego tan ansioso que de primeras también me muestro evitativa (es lo que se llama ambivalente): al coleccionar principios de historias y acumular posibles pretendientes, evito crear una conexión real y mostrar mi verdadera cara de existencia angustiada. Todas las revelaciones que cuento aquí me llevan varias semanas de maceración, hasta que las palabras empiezan a cobrar todo su sentido. Me apunto a todos los grupos de debate sobre el amor, las citas y el desarrollo personal que encuentro en Berlín. Aquí es muy fácil, hay al menos uno al día, incluso en inglés, gratis o por poco dinero. Me conecto a través de Meetup, una red social para que se conozcan personas con los mismos intereses, e indago todos los talleres que podrían interesarme. En París, jamás me habría atrevido, mis amigos se habrían cachondeado de mí.

La mitad de las reuniones me exasperan porque las organizan charlatanes expertos en chakra, y otro tanto me agota porque nadie se escucha hablar y parece que algunos van a grupos de debate para sentirse importantes. Pero algunas me encantan y me iluminan, y encuentro en las experiencias de otros las palabras que me faltan para entenderme.

Descubro también el concepto de dependencia emocional. Me duele reconocerme en él y mi ego se lleva un batacazo. El término me evoca a una sub Bridget Jones desaliñada, una loca de los gatos, la tía chiflada que bebe mucho e incomoda a todo el mundo en las bodas. Vamos, todos los estereotipos horribles que coleccionamos sobre las mujeres solteras. ¡A la mierda! Judith, Bridget Jones mola, se pone minifaldas, bebe vodka y corre, en bragas y por la nieve, tras el hombre que ama, ¿por qué sería una vergüenza parecerse a ella? ¿Por qué?

Pero cuando leo la definición que da la psicóloga Sylvie Tenenbaum en *Vaincre la dépendance affective*[35], ya no me puedo mentir:

---

35. *Vaincre la dépendance affective. Pour ne plus vivre uniquement dans le regard des autres*, Albin Michel, 2010.

Aunque el equilibrio psicoafectivo de todos los seres humanos necesita un alimento afectivo, esa necesidad no denota necesariamente una dependencia patológica. Esta solo se presenta entre los individuos con carencias afectivas cuyas conductas y disfunciones, por desgracia, no hacen más que agravar el problema. La dependencia emocional representa, de hecho, una «tentativa infructuosa de dominar la culpabilidad, la depresión o la angustia», el rasgo común de las toxicomanías. Todas ellas tienen su origen en esta dependencia, emocional, de la que no son más que los síntomas. Proust evocaba, con toda la razón, un «amor-droga»... Cuando uno se pierde en la búsqueda desesperada del amor, y se convierte en un extraño, se vive el mismo proceso que al perderse en drogas que modifican los estados de conciencia: el alcohol y todas las demás.

Así, la dependencia emocional patológica —y su comitiva de depresión, angustia, sensación de fracaso— es la base de todas las demás adicciones, y el individuo así drogado se vuelve esclavo de lo que consume [...]. «Si soy lo suficientemente generoso, útil, servicial, complaciente, atento, seré amado»: esa es la profunda convicción del dependiente afectivo patológico. Solo un otro le hará saber que es alguien «de bien», amable en el primer sentido del término: digno de ser amado.

Oh. Me recuerdo preguntándome: «Si tengo una puntuación Elo mejor, ¿seré digna de ser amada?». Me recuerdo también durante la relación de casi cinco años con mi ex. Jamás dejé de tener miedo a provocar su desamor. Nuestra ruptura fue un cuasialivio, ya no tenía nada que perder.

También me reconozco en la definición que hace Geneviève Krebs[36] del dependiente emocional:

> Una persona dependiente emocional vive con una sensación de pérdida y de vacío interior que lo angustian continuamente. Su grado de dependencia es relativo a su capacidad para gestionar la soledad [...]. Llenarse de una sensación de amor, de atención, de presencia, o de comida, alcohol, sexo, tabaco, droga, deporte en exceso, compras compulsivas, etc., son comportamientos análogos. Todo va bien siempre y cuando, en ese momento de pánico provocado por la sensación de vacío y de pérdida, el otro (el exterior) pueda detener la angustia al reafirmar, al dar, al llenar y al demostrar.

Ay. Ahora veo bajo un prisma diferente toda mi vida, todas mis obsesiones pasajeras, como la del gimnasio. Siempre tengo una pasión. Los clubes o el yoga. La literatura rusa o mi nueva dieta vegetariana. En mi perfil de Instagram digo que estoy «binge-living», expresión que viene de «binge-drinking». Es el impulso que me lleva a acudir a todas las fiestas de París o de cualquier parte, a ser siempre la última en acostarse los fines de semana, a arrastrar a mis compañeros y amigos hasta el amanecer —«A ver, no nos vamos a ir ahora, ¿no?»—. «¿De dónde sacas la energía?», me preguntan a menudo, y yo estoy encantada de que mi sed se vea como energía, como algo positivo, porque a veces tengo la sensación de que voy por la vida como si me arrastrase un perro grande con correa

---

36. *Dépendance affective. Six étapes pour se prendre en mains et agir*, Eyrolles, 2018.

al que apenas puedo seguir, de que habita en mí un grito sordo que me repite que podría pasar cualquier locura y no puedo perdérmela o, incluso, que tengo que crearla yo para ser digna de atención. La decepción llega después, acompañada de un odio difuso hacia mí misma y de un cara a cara cruel con el vacío que me habita y que no se ha movido ni una pizca.

No estoy sola. Según John Bowlby, la mitad de los adultos en el mundo occidental sufren un trastorno de apego más o menos pronunciado. Algunos pueden vivir bien con él, o no les supone un problema. Porque, ojo, toda relación sentimental con otro, todo apego, conduce a algún tipo de dependencia. Decimos a nuestros amigos: «puedo contar contigo» o «estoy aquí para lo que haga falta», lo que significa que nos necesitamos, que celebramos que se cumpla esa interdependencia. Una dependencia consentida, centrada. En el caso de los dependientes emocionales, la mirada del otro adquiere mucho espacio, mucha importancia, pues buscan fuera de sí cómo sanar su herida primigenia. No hace falta ser un superviviente de la existencia para tener lagunas afectivas. Basta con un traumatismo que paralice el mecanismo de la construcción del yo. «Traumatismo» es una palabra que da miedo, nos hace pensar en incendios o secuestros, pero recordemos cómo veíamos el mundo con nuestros ojos de niños. Un suceso anodino puede convertirse en un incendio o un secuestro, y provocar todo tipo de consecuencias.

Creo saber de dónde viene la mía, mi laguna afectiva. O al menos puedo intuir cómo empezó todo. Tengo seis años y estoy angustiada. Ya no estoy segura de por qué estaba angustiada. Es una mezcla. Empiezo primaria y me preocupa. Paso una parte de las vacaciones en casa de mis abuelos y me parece una eternidad. Me pregunto, sin llegar a creerlo, pero un poco asustada, si mis padres me han abandonado. A lo mejor solo pasé dos días allí, no lo sé. Mis recuerdos son borrosos y a lo mejor son, en parte, una reconstrucción.

Cuando mi abuelo me explica quiénes son «los sintecho», le respondo que yo soy una «siempresola». No sé si realmente estaba siempre sola, la verdad, no lo creo. Pero pongámonos mis gafas de niña asustada.

Aplaco la angustia comiendo chocolatinas Kinder. Las barritas esas empaquetadas individualmente con la foto del niño rubio que sonríe en la caja. Me como una detrás de otra, solo paro cuando no quedan más. Tengo que comérmelas todas. Gano peso. Mucho, muy rápido. Evidentemente, eso complica la acogida en primaria y soy el hazmerreír de una pandilla de mocosos. Me consuelo con más Kinder. Me siento mal, mis padres quieren ayudarme y consultan a un nutricionista.

Me acuerdo de una consulta en concreto. Soy algo mayor, creo, siete u ocho años. He seguido engordando. Es un miércoles por la mañana y no hay cole. Entro en pánico porque no me quedan bragas limpias en el cajón y ¡tengo que desvestirme delante del médico! Agarro una que aún se está secando en el tendedero. Está húmeda. Me horroriza que puedan pensar que me he hecho pipí encima. ¿Se me nota? Por la calle, de camino a la cita, solo pienso en eso. Para mí, mi cuerpo solo es un cuerpo. Mi apariencia no existía antes de que fuese un problema y ahora siempre me da miedo tener muchas otras taras y no darme cuenta. Si ni sabía que estaba gorda, ¿qué otra cosa vergonzosa llevo encima sin saberlo? ¿Huelo mal? ¿Tengo pinta de haberme hecho pis encima?

En mis recuerdos, estoy sola con el nutricionista en la consulta. Mi madre, en la sala de espera. Él examina mi cartilla sanitaria. Busca la página que indica mi talla y peso. Con seis años, las crucecitas estaban justo en la media, entre las líneas rosas. Después, no paré de engordar y de alejarme de las curvas buenas. En el examen médico del colegio, la enfermera me pregunta: «Para la merienda, ¿comes pan con mantequilla o mantequilla con pan?». Odio la mantequilla. No entiendo por qué me pregunta eso. Para mí, los alimentos aún no tienen valor moral en función de su aporte calórico.

El médico observa mi patrón de crecimiento, que sigue alejándose de la media.

—A ver, señorita, ¿qué pasó para que te diera por atiborrarte tanto?

No sé qué responder. Me pide que me desvista para pesarme y me quedo en bragas. Tengo miedo de que crea que me he hecho pis encima. He vuelto a engordar. Suspira al ver los números y añade pequeñas cruces a la cartilla.

—En tu casa ¿comes verduras?

—Eh, sí...

—¿Qué verduras?

—Eh, pues, no sé... ¡Salteados campestres, por ejemplo!

—Ah, ¿de los congelados?

—Eh, sí...

—¡Tu mamá no es muy responsable! Tendría que prepararte verduras frescas del mercado.

—Cocina mi papá. Mi mamá trabaja hasta tarde...

—Ah, ¿trabaja hasta tarde? ¿Y en qué trabaja?

Siento su desaprobación sin entenderla.

—Escucha a gente que tiene problemas. Como la gente trabaja por el día, ella llega tarde... Pero cocina el jueves por la noche.

—Sí, bueno, las mamás ahora trabajan hasta tarde... ¿Y tu papá te da de comer?

Sí, mi madre vuelve tarde. Tiene un abrigo de piel negro grande que aún está frío cuando llega y se acerca a mí para darme un abrazo. Es como una pantera negra enorme, una pantera negra enorme que viene a protegerme por la noche.

—Sí, mi papá.

—Me apuesto que tu papá hace patatas fritas...

—No, ¡pero comemos griego a menudo!

Mi padre no es un cocinillas. Nuestra cena festiva es pescado empanado y patatas. Pero mi hermano y yo nos morimos de la risa con él todas las noches. A menudo le tengo que suplicar que se calle porque me duele la tripa de tanto reír. Eso, al señor Verduras-del-mercado, le da igual.

—¿Griego? ¿Qué es un griego?

—Pues es un sándwich con carne, patatas, lechuga, tomates y cebolla, pero puedes no poner lechuga, tomate o cebolla.

—Ah... ¿Quieres decir un kebab?

Está horrorizado.

—Hay dos kebabs en nuestra calle...

Me interrumpe con un suspiro y me hace señas para que me vuelva a vestir.

Hay dos, quería explicarle. Un «griego malo» que está más rico, y un «griego simpático» que no está tan bueno, pero es al que vamos porque «el pobre, ¡nadie va a su restaurante!».

Me visto y tengo ganas de llorar, de llorar muy fuerte.

Tengo la sensación de estar viviendo la pesadilla de todos
los niños, la de estar desnuda frente a la pizarra y responder mal a todas las preguntas que me hacen. Me siento
bombardeada por todas partes. Ha criticado mi cuerpo,
mi vida y a mis padres, todo a la vez; ha aplastado de un
pisotón mi pequeño mundo. Estoy ahí, medio desnuda, y
es la primera vez que tengo que hacer frente a un sexis-
mo, una normatividad y un moralismo tan brutal. Le doy
el cheque que me habían dado mis padres. Está mancha-
do.

—Gracias, pero dile a tus padres que el talonario no se
guarda en la cocina…

Es verdad que mi casa es un desastre, un desastre alegre.
No es raro encontrar un talonario en la cocina o un cuaderno de ejercicios en el cuarto de baño, ruedas de bici en
el pasillo o pelos de gato en la ducha. ¡Pero es mi casa! ¡Mi
casa! Me siento culpable por no defender a mis padres. En
mi cerebro de niña pequeña, hago una conexión entre mi
cuerpo y la difamación de mi familia. Mis padres pasan por
malos padres por mi culpa, porque estoy gorda.

Esa misma noche, consulto mi cartilla y mi curva de
crecimiento. Y rezo. No he rezado en toda mi vida, ni creo
en Dios, pero rezo, de rodillas y en camisón: «Dios mío,
por favor, haz que vuelva a la curva normal, haz que vuelva a la curva normal».

Claro. Por supuesto. Me doy cuenta cuando escribo estas
líneas. Nada ha cambiado desde entonces. Mi búsqueda de
la puntuación Elo es la misma plegaria. Soy la misma niña
que sueña con volver a la curva normal. ¿Dónde está ahora mi crucecita? ¿He vuelto a la curva rosa? Dime, Tinder,
¿por fin me he enmendado? Cada vez que deslizo un perfil

es como una especie de señal. «Sí, Judith, ¡por fin estás del lado bueno!»

Puede que mis debilidades psicológicas me hayan transformado en presa fácil para volverme adicta a Tinder, pero de ningún modo voy a concluir aquí que el problema es solo mío. Estoy entre cientos, miles, millones de personas que, respecto al amor y al apego, no están completamente lúcidas. Por eso, la forma de la adicción nos encaja tan bien a algunos. Contemplo mis decenas y decenas de páginas de intercambios vanos y, ahí también, lo veo claro. Todas las horas que he pasado vagando por Tinder, mi sensación de vacío e inferioridad acre y cenicienta y mi falta de voluntad para dejar la app han servido para construir este imperio. Este desamparo es su bendición financiera.

Varios días más tarde, acudo al documento de nuevo porque quiero encontrar a mi primer *match*. Página ochocientos uno.

Match n.° 1
Hello! ¡Necesito compartir coche!

CAPÍTULO 10

La fiesta de la serotonina

En Berlín ya no pienso en Espejismo. Pero cuando vuelvo a París, no puedo evitar preguntarme qué podría haber hecho para que todo hubiera sido distinto. Con una puntuación de deseabilidad mejor, ¿se habrían enamorado de mí Espejismo o Husky? Pero ¿en qué mundo vivo?

Creía que esta última pregunta estaba reservada a las heroínas de las novelas de ciencia ficción o de *Black Mirror*, una serie que cuestiona las consecuencias que la tecnología podría tener sobre nuestra vida en un futuro inmediato. El título hace referencia a las pantallas negras de nuestros móviles, que contemplamos sin cesar. En *Nosedive*, el primer capítulo de la tercera temporada, los personajes se mueven por un mundo en el que sus pares puntúan en directo todas sus interacciones, y en el que una buena o mala nota condiciona el conjunto de su existencia, especialmente las fiestas a las que se les permite ir o las personas que pueden frecuentar. Puede que no sea tan diferente de nuestra vida en Tinder.

La amargura me puede al contemplar mis historias mal estructuradas, disfuncionales; incluso las historias a medias que nunca han llegado a existir. ¿Qué ha pasado? ¿Por qué es tan difícil empezar una historia de amor a los treinta? Me acuerdo de mis quince años y de mis citas los miércoles por la tarde con mi primer gran amor, en el McDonald's, porque habíamos decidido probar todos los sabores del McFlurry y ponerles nota. Claro que nunca estábamos de acuerdo sobre la nota y la debatíamos largo y tendido. Como quedar los dos solos nos ponía muy nerviosos, nunca nos terminábamos los helados.

Cuando por fin nos besamos, después de meses y meses hablando por las noches en el MSN y quedando en el McDonald's, era evidente que «estábamos saliendo». Bien. Vale que, para tener mayor flexibilidad en nuestras relaciones actuales, besarse no significa automáticamente que te hayas emparejado... ¿Pero aún existe esa sensación de evidencia?

He quedado con Bérénice[37] a las once. Bérénice tiene veintiún años y vive cerca de los Campos Elíseos, en un estudio que han acondicionado sus padres cerca de su apartamento. ¿La habéis juzgado en menos de tres segundos al leer esta frase? Yo también. Pero Bérénice también ha acogido en el estudio a un gatito a escondidas de sus padres. Por eso el gato se llama Cachette, Escondite. ¿También a vosotros os parece ahora más entrañable? Es la prima de

---

37. Nombre ficticio.

la amiga de un amigo de una amiga. Una conocida lejana. La voy a entrevistar para una serie de testimonios sobre Tinder para una web de *podcasts* que va a salir en breve. Finalmente, la pieza nunca se llegará a emitir. Voy a la cita con mi doble agenda en mente, como con Sean Rad. Bérénice es absolutamente maravillosa y quiero hablar con ella para hacerme una idea de qué pasa en Tinder cuando se está en el nivel más alto de la deseabilidad. No le hablo de la investigación, ni del concepto de la puntuación Elo, solo de la entrevista para la web de *podcasts*. No es honesto, pero no me siento nada culpable. Me parece tan guapa que esto no debería ni afectarle. Es una idiotez, claro, solo es cosa de mis celos. La vida de la gente muy guapa, muy rica, o de las estrellas debe de estar salpicada de este tipo de pequeñas bajezas de su entorno.

Pues bien, Bérénice es magnífica. Una maravilla de la naturaleza, algo que solo sucederá una vez cada mil años, una especie de Capilla Sixtina de la genética. Alta, ágil, cintura de avispa, piernas largas, cabello que cae en cascada, nariz respingona y pecas. Cuando se mueve, parece que vuela.

«Todo el mundo me llama Béré», me ha dicho ya varias veces, invitándome a hacer lo mismo. No puedo. No me atrevo. Bérénice me fascina y me paraliza. Se ha pasado la noche anterior de celebración por haber terminado los exámenes en un club de los Campos Elíseos y está cansada. La información me hace reír. Cuando terminamos el bachillerato, Zoé y yo le hicimos creer a nuestras compañeras que habíamos ido a una discoteca de París, pero en realidad nos habíamos pasado el fin de semana bebiendo a escondidas las cervezas de su tía en su chalet.

Está encantada de responder a mis preguntas. Dice que está «enganchada a las aplis». Las tiene «todas». Vaya, ¿otra enganchada? Me vuelven a la cabeza las imágenes de los plátanos, las cerezas y las campanas. El sistema funciona en ambas direcciones, pues las mujeres tienen los mismos neurotransmisores que los hombres. Cada *match* provoca, efectivamente, una pequeña descarga de serotonina, el neurotransmisor del placer. El mismo neurotransmisor que sobreactivan las drogas como el MDMA o el éxtasis.

Para Bérénice, la recompensa no es aleatoria como en las tragaperras. Ella gana siempre. En sus circuitos se celebra una fiesta de la serotonina. «Es genial para la autoestima, sobre todo. Mi objetivo es tener dos mil saludos en Happn y ya tengo mil cuatrocientos.» Happn es el principal competidor francés de Tinder y en él los usuarios pueden llamar la atención de una persona enviándole un saludo. Mil cuatrocientas pequeñas descargas en el contador de Bérénice. «Al principio iba a citas clásicas, a dar un paseo, a ver una exposición, pero, la verdad, te aburres enseguida. Prefiero poner a prueba mi poder, ver hasta dónde están dispuestos a llegar los tíos por tener, quizás, una cita conmigo.»

Se detiene y me sonríe.

«Tengo un esclavo, por ejemplo. Me lo suplicó él. No nos hemos visto jamás, y no lo veré jamás, no estoy loca —se ríe a carcajadas—. Tiene un cinturón de castidad y me tiene que pedir permiso para quitárselo. A veces se lo doy, a veces, no. Lo sé, ¡es una locura! Mi mejor amiga no me creía, así que, la semana pasada, lo llamamos por Skype juntas. Su sueño es venir a limpiarme la casa, pero eso, eso es demasiado. Hay muchos hombres que quieren pagarme para pasar una noche conmigo. Dejo que las ofertas suban y suban todo lo que pueda. Quiero saber cuánto valgo. No voy más allá, es solo para subirme el ego. Los tíos no me dicen nunca, nunca, nunca que no.»

Quiere saber cuánto vale. Lo dice así, sin inmutarse. «A mí nadie me ha ofrecido dinero jamás», pienso al principio, antes de despreciarme porque todo lo relaciono conmigo misma. Me acuerdo después de Eva Illouz y la forma en que, en los portales de citas, todos nos vemos, según ella, como productos. Bérénice no le llevaría la contraria. También se puede observar cierto placer en el papel de objeto, sobre todo cuando se es un objeto codiciado, como una Bérénice: el placer de ser un objeto mucho más codiciado que los demás.

—¿Puedo ver tu Tinder?

—¡Claro!

Me pasa su iPhone. Ha recibido muchísimos mensajes, todos sin leer. Bajo y no veo el final. Deslizo dos, tres, cuatro perfiles, todos le han dado *like*.

—¿Alguna vez te has encontrado con uno que te haya gustado más que los demás? ¿Nunca te enamoras?

—Sí, pero soy demasiado joven para tener una historia seria. Cuando hay alguno que me gusta, me canso pronto. Siempre tengo la sensación de que podría encontrar algo mejor.

En modo automático, sigo haciendo hablar a Bérénice sobre su vida en las aplicaciones, pero ya no la escucho. Su respuesta me ha matado. No es su culpa, pero me vuelve Espejismo y su «algo mejor en el expositor», que todavía tengo atravesado en la garganta. Mejor, mejor, mejor, mejor; joder, ¿qué os pasa a todos con querer optimizar vuestras vidas sentimentales, con el miedo a perderos una oportunidad? Mierda de generación de retraídos emocionales. A fuerza de no querer cerrarse puertas, nos vamos a pasar la vida en una mierda de umbral. Mejor, mejor, mejor, mejor, mejor, pero ¿qué significa «mejor»?

Al salir de casa de Bérénice, en el metro, me entrego a
una tortura contemporánea que todas conocemos. Mientras escribo su nombre en Instagram, me digo durante un
cuarto de segundo que no, no debería, de qué me va a servir, si no es para hacerme daño. Pero me viene mal y me
viene bien. Admiro todas sus fotos. Bañador con espalda
descubierta y minishorts vaqueros, pechos firmes sin sos-
tén, por supuesto. Sin celulitis o estrías. Carcajadas en un
flotador con forma de flamenco, *selfie* con un mohín de lo
más adorable y su gato en brazos.

Me detengo en una de ellas. Lleva un bañador negro y
está tumbada al borde de una piscina, de espaldas. «A veces
los sueños se hacen realidad», ha comentado uno de sus
amigos. Tiene la piel lisa y tersa, un culo respingón y el pelo
le acaricia la espalda. Me imagino que eso es lo que sentirá
Espejismo cuando se encuentra una foto así, y pensarlo me
sienta como un puñetazo en el estómago. Amplío su culo
para darme el golpe de gracia. Es tan bonito, con sus nalgas
redondeadas. Estoy segura de que le molaría, obviamente.
Le molaría a todo el mundo. Incluso puedo sentir el deseo
que un hombre hetero sentiría ante estas fotos, y eso me
consume. Todos los hombres que he amado y deseado ya
han visto muchísimas fotos como estas, inevitablemente;
a lo mejor, incluso las han buscado. ¿También ellos me han
comparado como yo me comparo? Esa idea me retuerce
las tripas. Miro su Instagram con el fervor culpable de un
adolescente que ve porno. Otra vez en bañador, joder, ¿se
pasa la vida en la playa? Bikini rojo, tumbada sobre una
toalla, ojos cerrados, cabello húmedo. Parece una actriz. En
los comentarios, una de sus amigas: «Oh, Béré, qué guapa,
¡ya se me podría pegar un poco!». Ese comentario, que se
presenta como una broma pero no lo es, me cala hondo.

Lo peor, es que no es la única. Hay cientos, miles de chicas como Bérénice en Tinder. Me imagino todos sus perfiles, todas estas fotos. Todas estas mujeres. Con el mismo flequillo que yo, el mismo esmalte de uñas, las mismas Stan Smith, los mismos estudios. Luego pienso en el culito de Bérénice. Soy tan insignificante, ¿cómo existir en medio de todas ellas? ¿Qué hacer para ser diferente? ¿Qué hacer para que no te cambien inmediatamente para ir en busca de alguien mejor? ¿De qué armas valerme para esta batalla perdida antes de empezar, siempre antes de empezar? En la guerra de todas contra todas, ¿he tenido siempre las de perder? ¿Qué posibilidades tengo yo *contra* una Bérénice?

Creía que la parte que más me iba a costar escribir iba a ser el episodio del cepillo de dientes eléctrico. Pero no. Lo realmente vergonzoso viene ahora. De vuelta en mi casa, sigo espiando a Bérénice.

En una foto, lleva un sombrero de paja enorme y se ríe en una playa (¡otra vez!). En otra, se ata los cordones en las escaleras del Sagrado Corazón, chaqueta de cuero y pitillo negro moldeando su cuerpo perfecto. Más adelante, baila en una fiesta en el piso de alguien, con los ojos cerrados. El pelo le cubre la mitad del rostro, sonríe como una estrella y sus hombros se perfilan perfectos. Odio admitirlo, pero en ese instante quiero ser ella, quiero robarle la vida. Soy como las niñas del instituto fascinadas con la estrella de la clase que se compran la misma ropa que ella, solo que en versión obsesiva digital.

Alguien me llama por teléfono y el sonido del tono me despierta. La realidad me agarra del cuello. Cierro de un golpe la tapa del portátil y me niego a seguir pensando, ni un segundo más, en Bérénice.

CAPÍTULO 11

Picarona

El 26 de septiembre de 2017, publico mi primer artículo en el gran periódico británico *The Guardian*, un análisis de mis ochocientas páginas de datos personales. El título: *Pedí mis datos personales a Tinder y recibí ochocientas páginas con mis secretos más oscuros e íntimos*[38].

Había enviado un email al departamento de tecnología para proponerles un artículo y aceptaron enseguida. Al principio no me lo podía creer. Hasta que no se publicó, no se lo conté a nadie, por miedo a que el artículo no saliese. En él explico por qué los algoritmos de Tinder tienen tanto poder sobre nuestras vidas. Que, solo con tener acceso a mis «Me gusta» de Facebook y a mis conversaciones, Tinder sabe más sobre mí que mis mejores amigos, mis padres, mi psicólogo si tuviese uno, y que yo misma; que, al

---

38. «I asked Tinder for all my personal data, it sent me 800 pages of my deepest darkest secrets», *TheGuardian.co.uk*, 26 de septiembre de 2017 (en línea).

hacer uso de mis datos personales para determinar a quién voy a ver en la aplicación, Tinder decide por mí a quién puedo conocer, tocar, amar; un poder inmenso sobre mi persona, sobre mi vida, sobre mi cuerpo.

Esas son las dos ideas principales, no menciono la puntuación Elo. Para escribir el artículo, me esmeré muchísimo y me pasé horas entrevistando a expertos. Hice que Tinder reaccionase a través de Louis, el consultor con el que quedé cerca de los Campos Elíseos; él les hizo llegar mis preguntas y me facilitó sus respuestas:

—¿Por qué Tinder almacena tantos datos sobre mí?

—Para personalizar la experiencia de todos nuestros usuarios. Nuestros servidores de *matching* son dinámicos y cuando muestran los posibles *matches* a un usuario tienen en cuenta muchos factores que ayudan a personalizar la experiencia.

Cuando vuelvo a ponerme en contacto para preguntar qué datos en concreto se usan para mostrarme los perfiles y con qué implicaciones, me quedo igual:

—Nuestros servidores de *matching* son el corazón de nuestra tecnología y de nuestra propiedad intelectual, y no podemos compartir información sobre nuestras herramientas patentadas.

Bla, bla, bla.

Louis está un poco nervioso por el artículo y me toma el pelo: «¡No necesitas publicar un artículo cruel en el *Guardian*! ¡Teníamos un montón de proyectos chulos para ti!». Me arranca una sonrisa. Me cae bien.

Pulo la pieza y la termino así:

«Como cualquier *millenial* típica que no se despega de su teléfono, mi vida virtual es ahora mi vida real. Ya no hay diferencias. Tinder es una herramienta y con ella conozco a gente, es mi realidad. Una realidad en la que influyen constantemente otros, pero no se me permite saber cómo.» Los editores de *The Guardian* apenas lo modifican, solo añaden algunas precisiones. Me siento orgullosísima.

Desde el día de su publicación, el artículo es todo un éxito. Será uno de los más leídos de la web del periódico en 2017. Se publica en todo el mundo, traducido al chino, al español[39], al portugués y al alemán. Durante dos semanas, mi buzón de correo electrónico está lleno de solicitudes de periodistas, de peticiones de entrevistas de todo tipo.

Tinder parece reaccionar. Varias semanas después de la publicación del artículo, la aplicación estrena *Download my data*, una opción que permite a los usuarios solicitar sus datos personales. ¡Un paso en la dirección correcta! Pero ya no se reciben los mensajes que han enviado otros usuarios, «conforme a su política de confidencialidad».

Mientras saboreo mi éxito profesional, sigo sufriendo el golpe de lo que descubrí sobre mí al leer esos mensajes. Acudo a los estudios de France Télé para hacer una entrevista. La maquilladora me reprende y me dice que estoy haciendo «cualquier cosa» con mi piel. Nos reímos, es maja. Me hacen esperar antes de entrar en directo. Una periodista, no la que me va a entrevistar, me pregunta, con un tono que interpreto como de desconfianza: «Ah, ¿tú eres la de las ochocientas páginas? Pero, a ver cómo lo digo... usas Tinder de forma intensiva, ¿no?». Siento el viento helado de la vergüenza sobre mí justo antes de pasar al plató.

---

39. Publicado en *eldiario.es* el 1 de octubre de 2017 con el título «Le pedí a Tinder los datos que guarda de mí y me mandó 800 páginas de oscuros secretos». [*N. de la T.*]

En *28 minutes*, de Arte, Claude Askolovitch habla de mi artículo en directo e incluso hacen un dibujo humorístico sobre ello. Dominique Strauss-Kahn se burla de mí: «Ochocientas páginas, ¡qué picarona!». Eso me hace reír y me aterroriza, me hace pensar en mis problemas de apego. Incluso me invitan a ir al Victoria and Albert Museum de Londres para exhibir mis datos personales durante una noche de performances. Una parte de mis datos se exhibe fija, otra en un vídeo en bucle. No están las ochocientas páginas, solo un tercio (he quitado los mensajes en francés). La experiencia es curiosa. Cuando terminamos de preparar mi instalación, la comisaria me sugiere que me quede ahí y explique a los visitantes que eso son mis datos. Me veo incapaz de parar a la gente que pasa y decirles: «¡Eh! ¡Es mi vida!». Así que me quedo sentada en una esquina, observando a los desconocidos que leen mis datos. Al fin y al cabo, también son mensajes que intercambié con perfectos desconocidos.

«Aprovecha que la cosa está candente y que todo el mundo habla de ello y propón un libro», me dicen mis amigas de Journalopes. Así que escribo a la editorial Goutte d'Or. Porque no lo he dicho todo en el artículo. Les explico, café mediante, que Tinder también nos da una puntuación secreta de deseabilidad y que llevo meses intentando conseguir la mía. Se entusiasman con el proyecto e incluso se imaginan el título del libro: *En busca de mi nota de Tinder*.

CAPÍTULO 12

Judith gaze

Los domingos por la noche suelo cenar con mi compañera de piso, Giulia. «Giuditta, ven, que pedimos al tailandés», me reclama esta noche a través de la puerta. Elegimos los platos por turno y abrimos una botella de chianti que intento pronunciar con acento italiano. «Casi pareces siciliana», se burla Giulia. El ambiente es cálido, tengo la sensación de estar en familia. Toda mi generación se esfuerza por menospreciar el concepto de rutina, pero yo la necesito, la busco. La cena de compañeras de piso el domingo por la noche, dormir hasta tarde el sábado, el yoga el miércoles, atesoro estos pequeños placeres que marcan mi semana como puntos de anclaje. Una de sus amigas se nos ha unido esta noche.

Tres chicas y una botella de chianti: no tardamos en hablar de hombres. «Yo tiro la toalla», suspira Giulia. La semana pasada, iba a quedar con un hombre con el que llevaba tres semanas chateando en Tinder. Se escribían hasta treinta, incluso sesenta mensajes al día, no soltaba el teléfono. Según salía de la ducha, maquillada y lista para ponerse el conjunto «sexy pero no a propósito» que había elegido para ir a la cita prevista para una hora después, él le escribió para cancelarla, sin darle más explicaciones, como se cancela un pedido de sushi o un Uber. «Al menos, cuando se cancela un Uber mucho tiempo después de haberlo pedido, se tiene que pagar una penalización de 5 euros», pensé al verle la cara a mi pobre Giulia. Desde entonces, no ha respondido a ninguno de sus mensajes, los últimos no aparecen como «leídos» en WhatsApp. Lo más probable es que la haya bloqueado o que esté evitando con mucho cuidado que sus dedos rocen los mensajes de Giulia, como hago yo cuando no abro los emails profesionales que me dan miedo.

«Es extraño, porque, aun así, siento como si lo conociese un poco, aunque nunca nos hayamos visto», comenta sobre este chico. Me faltan palabras para confortar a mi amiga frente a esta nueva clase de cobardía. Aunque tengo una teoría: cuando hicieron *match*, su interlocutor estaba de vacaciones con su padre. Igual se sentía solo y se alegraba de poder hablar con ella, pero cuando volvió a la vida real, pasó a otra cosa. O a lo mejor estaba chateando con varias chicas y Giulia no era su preferida.

«El caso es que en Tinder o en las otras aplis nunca hay que creerse lo que se lee. Que quedéis en veros, no significa que vaya a presentarse; que te diga que está interesado, no significa que te vaya a volver a escribir. Que un tío parezca interesado, no significa que lo esté de verdad, o que lo siga estando después de quedar y, sobre todo, después de haberse acostado contigo. Nada tiene ningún valor», continúa Giulia, triste y lúcida.

Por mi parte, me estoy tomando un descanso de las citas, de Tinder y de toda búsqueda de un hombre. Estoy cansada y tengo la autoestima por debajo del nivel del mar; el asunto de Bérénice no me ha ayudado. Mi ego está pasando por una etapa de recuperación de puntos. Ya no soporto la idea de someterme a la validación de un hombre, ni de que tengan una opinión sobre mí y mi cuerpo; que vean mis muslos o mi vientre y se pregunten lo que piensan de ellos; que se pregunten si tienen o no que responder a mis mensajes, si valgo la pena, o si prefieren seguir buscando porque igual hay algo mejor *en el expositor*. Imaginarme a un hombre diseccionando una cita conmigo, hablando de mis cualidades, mis defectos, sopesándome como se elige un melón en el mercado me resulta insoportable. Me siento sucia por haberme dejado tratar así y haberme quedado inmóvil, en espera, recogiendo migajas de afecto.

A lo mejor no tengo todos los ases en la manga. En el cómic-ensayo sobre el amor de la sueca Liv Strömquist, *Los sentimientos del príncipe Carlos*[40], la autora explica que las mujeres que se sienten automáticamente atraídas por hombres emocionalmente inaccesibles son, a menudo, también inaccesibles. Se encuentran en una situación ambivalente con respecto a lo que espera la sociedad de ellas. Como las mujeres le dan un gran valor a estar en pareja, algunas no consiguen asumir que no quieren tener una. Según la autora del cómic, las mujeres aún tienen que construirse a partir de la mirada de los demás, y eso las mantiene en una posición de vulnerabilidad, incapaces de

---

40. *Los sentimientos del príncipe Carlos*. Trad. Alba Nerea Borja Pagán. Reservoir Books, 2019. [*N. de la T.*]

alcanzar la independencia. Por ello, se crean una libertad que burla las apariencias y se esconden en una pareja que en realidad no lo es.

Me he comprado un cuaderno, me encanta comprarme cuadernos, me recuerda a la vuelta al cole. En él he apuntado todas las actividades que me hacen feliz, a mí y solo a mí, no para gustarle a un chico, incluso a uno hipotético. Quiero sustraerme, aunque solo sea un par de semanas, del *male gaze*. El *male gaze* es una teoría feminista según la cual toda la cultura dominante nos impone adoptar la mirada de un hombre heterosexual y considerar a las mujeres y sus valores a través de ese prisma. La noción de la mirada es muy importante en esta teoría, pues la desarrolló una crítica de cine, Laura Mulvey[41], en los años setenta. Según esta teórica, la prensa femenina también está marcada por el *male gaze*, ya que explica a las mujeres cómo satisfacer esa mirada, o cómo atraer esa mirada vistiendo a la moda o usando los productos de belleza adecuados.

Me he inspirado en el sistema de motivación de mi amigo Théo, que se da puntos cada vez que termina una tarea profesional. Eso lo ayuda a motivarse y a evaluar su productividad. Tiene razón, yo soy la que tiene que puntuarse, en vez de intentar mejorar la puntuación que me atribuye una entidad exterior. Leer una novela, 5 puntos; ver una peli, 5 puntos; cocinarme algo rico, 4 puntos; conversar tranquilamente por la noche mientras me tomo una infusión, 5 puntos; escuchar el programa de filosofía de France Culture a las 10 de la mañana, 3 puntos; pasear por la noche escuchando música, 2 puntos; etc. También apunto las cosas que me han hecho feliz a lo largo del día.

---

41. «Visual Pleasure and Narrative Cinema», *Screen*, vol. 16, n.º 3, 1975.

Por ejemplo, este domingo he ganado un punto: he visto una ardilla cerca de Landwehrkanal, en Berlín. Poco a poco me construyo el baremo del *Judith gaze*.

CAPÍTULO 13

Mi primera nota

Empujo la enorme puerta acristalada de un salón de té y librería y atravieso la sala abriéndome paso entre los montones de libros viejos de ocasión. Mira, tendría que aprender alemán con libros infantiles. Todas las mesas tienen flores y suena música suave de fondo. Son las 3 de la tarde de un día entre semana, el local está prácticamente vacío, a excepción de dos mesas ocupadas por unas abuelitas. Una de ellas mordisquea una tarta de manzana con una buena ración de chantillí. Anton[42], un experto en datos y algoritmos, ya está ahí. «He venido a almorzar, es un buen sitio», me dice mientras me instalo a su lado, en un sofá mullido de terciopelo rojo. «Ahora no tengo trabajo, así que estoy aprendiendo sobre *machine learning* e intento abrir una panadería», me explica con una mirada traviesa. «Los algoritmos y la fabricación de

---

42. Se ha modificado el nombre a petición suya.

pan se parecen mucho. ¡En ambos casos hay que seguir las instrucciones!» Este concepto de panadero-hacktivista me divierte. Anton se ha enterado de mi investigación a través de una amiga en común, a quien le pasó este mensaje: «Creo que tengo algo para tu colega la periodista». Me alegró mucho que se pusiera en contacto conmigo.

Sin saber mucho más, aquí estoy en compañía de un desconocido de aspecto simpático. «Me interesa la información que envían los servidores de Tinder —empieza sin más preámbulos—. Me imagino que ya sabes que algunas fotos de los usuarios tienen un *success rate*, un índice de éxito.»

Según Anton, se puede acceder a una puntuación compuesta por varios dígitos, similar a esta: 0.13131313131313133. Según él —Tinder no ha querido confirmarlo o desmentirlo—, se trataría del porcentaje de las veces que gusta una foto de un usuario, en este caso, aproximadamente un 13 %. Es decir, el índice de éxito de la foto. Esta cifra está vinculada a la opción Smart Photo, que permite colocar en primera posición la foto más exitosa, sin que Tinder informe de su porcentaje. En un artículo de blog[43], Tinder reconocía haber desarrollado esta opción usando *machine learning*, o «aprendizaje automático». En resumen, unos algoritmos estudian el comportamiento de sus usuarios para identificar el sistema de puntuación más eficaz. La idea es sencilla: la aplicación prueba cuál de tus fotos funciona mejor presentándolas por turno las primeras a un gran número de usuarios. Según Tinder, esto permite aumentar en un 12 % el número de *matches*. «Considéranos tu propio equipo personal de investigación

---

43. «Smart Photos», *tech.GoTinder.com*, 13 de octubre de 2016 (en línea).

—dice Tinder en otro artículo[44]—. ¿Cuál es mi perfil bueno? ¿Posar con mi perro me ayuda? Con Smart Photos de Tinder, lo sabrás. […] Sí, hay ciencia en los desplazamientos. Estamos agitando nuestra varita mágica para hacer que desplazar perfiles sea más divertido y eficaz.» Anton me asegura que puede acceder a mi *success rate*, solo porque he activado la opción Smart Photo. En cambio, según él, va a ser imposible echarle el guante a mi puntuación Elo, esa información no sale de los servidores de Tinder, no la hacen viajar entre mi teléfono y su sede.

Una nota, me van a dar mi primera nota. ¡Qué suspense! ¿Cuál será? ¿Estaré en la media? ¿Por encima? ¿Por debajo? «Para conseguir tu *success rate*, tengo que cogerla al vuelo. Es la única forma de acceder a ella, y solo puedo hacerlo cuando un hombre ve tu perfil.» La información no está almacenada en mi Tinder o en mi teléfono, solo aparece cuando mi foto se le muestra a alguien. Anton se ha creado una cuenta para la ocasión y se las va a arreglar para que su perfil se encuentre con el mío. ¿Cómo? «He recopilado toda la información que he podido sobre ti: le he dado a "Me gusta" a las mismas páginas de Facebook que tú, me he hecho amigo de bastantes amigos tuyos, he fingido que he ido a la misma universidad que tú y que vivo en tu calle.» Se ríe.

No sé qué pensar, pero tengo ganas de ver de lo que es capaz este panadero-hacktivista. De todos modos, seamos sinceros, la curiosidad prevalece. Tomo notas de su demostración para no perderme nada.

---

44. «Presentamos Smart Photos: para los más deslizadores», *blog.GoTinder.com*, 13 de octubre de 2016 (en línea).

«Vamos a intentar acceder a la interfaz de programación de Tinder para captar los datos que intercambian tu teléfono y la aplicación», anuncia Anton. La interfaz de programación —o API, de Application Programming Interface— es el servicio de mensajería entre la aplicación y el servidor, el proceso que envía mi petición y verifica la respuesta. Un poco como los nervios, que hacen que nuestro cuerpo y nuestro cerebro dialoguen. Por ejemplo, cuando me conecto a Tinder, envío un mensaje a los servidores que les indica que estoy conectada y, por tanto, que me tienen que presentar perfiles nuevos y recuperar mis *matches* y mis mensajes. El servidor me responde mostrándome los perfiles y mis datos personales. Como esa información no me pertenece, no está físicamente en el teléfono, sino en los servidores de la aplicación. Esta acción se repite cada vez que un usuario interactúa con la aplicación.

Una vez conectado a la API de Tinder, Anton me explica qué datos intercambian la aplicación y la cuenta. «Te estaba esperando para hacer la prueba, pero, ya verás, seguro que te encuentro.»

La pantalla de Anton está dividida en dos. A la izquierda, el Tinder que conocemos, con los perfiles que podemos deslizar a un lado o al otro. A la derecha, como en *Matrix*, una pantalla negra y una lluvia de letras verdes. Cuando un perfil aparece en la pantalla de la izquierda, va acompañado, a la derecha, de las coordenadas de las fotos, información que le concierne y, al final, su *success rate*.

«Cuántas palabras e información viajan cada vez que hago cualquier cosa en el teléfono», pienso al ver desfilar las letras verdes. Se intercambia muchísima información incluso para la operación más pequeña. Si pudiéramos ver esos datos viajar, a lo mejor seríamos más conscientes de todo lo que transita sobre nosotros. Me acuerdo de que los pulpos, que cambian de color constantemente para pasarse mensajes y expresar sus emociones, en realidad no son capaces de percibir los colores. Cuando descubrí aquello, me quedé boquiabierta y, sin embargo, no somos tan distintos de los pulpos. Entregamos sin parar información sobre nosotros y somos incapaces de verla o de entenderla. Tras ver pasar decenas de perfiles, mi foto aparece en la pantalla de Anton. ¡Solo me faltaba que le diésemos a la izquierda, eliminándome sin darnos cuenta! Habríamos perdido mi *success rate*. Le agarro del brazo y exclamo: «¡Esa soy yo!». Él también da un gritito de asombro antes de reírse de mí. Toda la cafetería nos mira.

—¡Se avecina la revelación! —me toma el pelo.

—¡Tengo miedo!

—Ya veo —responde él, lo que no me tranquiliza en absoluto.

Levanto la mirada un instante. Veo a las abuelitas a mi lado. Me dan envidia. Estoy impaciente. Impaciente por que seamos todos viejos y ya no nos hagamos este tipo de preguntas. Cuando tengamos setenta años, se acabará eso de intentar estar guapa, ¿no? ¿Se acabará la competitividad? Me muero de ganas de ser una viejita que come tartas por la tarde, de no formar parte del gran mercado del sexo. Aunque, al parecer, las mujeres mayores también compiten para encontrar a un hombre, porque ellos se mueren antes que nosotras.

Madre mía, ¿es que esto no se va a terminar nunca? ¿Seguiré, con setenta años, perdiéndome en los Instagram de otras mujeres para hacerme daño, dejándome quizás llevar por las críticas a estas otras mujeres, solo para sentirme mejor, solo para intentar convencerme de que ellas no son mejores que yo? ¿Qué tendremos en vez de Instagram? A lo mejor podré hacer que los hologramas de las fotos se proyecten en mi casa, para así poder ver hasta el detalle de las costuras. Para compararme en directo, podría hacer que mi holograma se proyectase a su lado. Amazon Echo nos ofrece ya la posibilidad de puntuar nuestra ropa, ¿a lo mejor podría preguntarle cuántos puntos me separan de las otras chicas? ¿Y cómo mejorar? Ah, y después recibiría un montón de anuncios para Valium, Prozac u otros ansiolíticos, estoy segura, ¡con envío inmediato!

Esa perspectiva me deprime y siento que me encojo. Sonrío a las abuelitas para subirme la moral. Mis vecinas de mesa, ¿se harán una idea de qué es un *success rate*? Me preocupa que mi porcentaje sea lamentable y quedar mal delante de Anton. Me preocupa llevarme una decepción. A pesar de todo, me gustaría tener una buena nota.

—Ahí está. Tu *success rate* es del 0.5505097508430481.

Tengo un 55 %. Me dan *like* una vez de cada dos.

—De lo más decepcionante, justo en medio —bromea Anton.

Me río con él e intento actuar con normalidad. No sé muy bien cómo reaccionar. Estoy a la vez aliviada y ofendida. Aliviada porque no tengo un 25 % o un 15 %. Evidentemente, una parte de mí habría soñado con un 70 %. Me pregunto quién habrá deslizado mi perfil a la izquierda, eliminándome. Me imagino mi foto con la cruz roja que aparece cuando se rechaza un perfil, con el sello «*nope*» encima. ¿Serán chicos que solo se desviven por *fit girls*, chicas superdeportivas, delgadísimas? Quizás no tiene nada que ver con mi físico. A lo mejor prefieren a las aficionadas al aire libre, el senderismo y la acampada; o a las mujeres que adoran la música y el cine, que pueden hablar de su cineasta preferido durante horas y han añadido diez títulos de películas a su perfil.

Me pregunto cuántas personas en total habrán visto mi perfil. ¿Varios miles? ¿Diez mil? Si mi *success rate* es del 55 %, eso quiere decir que más o menos la mitad me ha rechazado, así que podrían ser cuatro mil, cinco mil personas... ¿Cuánto son cinco mil personas? ¿Una sala de conciertos? Bueno, ¡hay otra enfrente con todos a los que les he gustado! Es absurdo. ¿Y yo? ¿Cuántos perfiles han pasado por delante de mis ojos? ¿En cuántas salas de concierto estoy yo?

CAPÍTULO 14

«¡No hay fotos de penes!»

Tengo una cita en el hotel George V, cerca de los Campos Elíseos, en París. Sí, sí, ¡en el George V! Voy a conocer a Whitney Wolfe, una veterana de Tinder y ahora fundadora de Bumble, una aplicación para ligar que dice ser feminista. Con treinta y seis millones de usuarios, la aplicación es ahora la principal competidora de Tinder, y el grupo Match quiere comprarla. En Bumble, solo las mujeres pueden tomar la iniciativa e iniciar una conversación con los hombres.

Quedar en el George V me pone nerviosa. Me preocupa quedar mal o no saber cómo comportarme en un sitio tan lujoso. Además, tiene dos cafeterías y voy a la que no es. Tras diez minutos esperando sentada en un sofá, la jefa de prensa de Wolfe me llama para preguntarme dónde estoy. Cuando me doy cuenta del malentendido, salgo corriendo y me olvido de pagar el café con leche. ¡Un *sinpa* en el George V!

Me siento al lado de Wolfe. Está rodeada por la jefa de prensa y dos mujeres más que me encasquetan una bolsa de Bumble llena de regalos promocionales. Me saluda en un francés perfecto. Pelo rubio largo, diamante en el dedo, elegancia y seguridad, parece recién salida de una TED Talk sobre *executive women*. «Lo siento, Judith, pero vamos con mucho retraso, tendremos que ir rápido.»

Odio llegar tarde y me siento fatal, quiero sacar el cuaderno de notas del bolso a toda prisa y quitarme la bufanda a la vez, por lo que mis movimientos son bruscos y desmañados. Al final, pierdo más tiempo. Me siento envarada, torpe. Wolfe tiene tres años menos que yo, pero, frente a ella, me siento como una niña. Enciendo la grabadora del móvil y me da vergüenza porque tengo la pantalla rota.

Whitney Wolfe formó parte del equipo de Tinder en sus inicios. Estaba con Sean Rad en la incubadora de IAC, a la que pertenece Match Group. El nombre «Tinder», que significa «yesca», se le ocurrió a ella. Al principio, todo iba bien. En su calidad de vicepresidenta de marketing y cofundadora, se recorrió todos los campus estadounidenses para publicitar la aplicación y ofreció entrevistas a la prensa femenina y de tendencias[45].

Todo iba bien. Hasta noviembre de 2013, cuando se separó de su compañero, Justin Mateen, otro de los cofundadores. Ahí empezaron los problemas, si creemos los hechos descritos en la denuncia por acoso que presentó

---

45. «How to Tinder, by the woman who invented Tinder», *Harper's Bazaar*, 30 de octubre de 2013.

en 2014 contra Tinder. El caso terminó con un acuerdo amistoso secreto y un cheque por un millón de dólares. En la actualidad se niega a hablar de ese conflicto, pero sus abogados publicaron en internet la denuncia que presentó ante el tribunal de Los Ángeles[46].

Justo después de separarse de Justin Mateen, Whitney Wolfe perdió el título de cofundadora a petición de su excompañero. La razón oficial que alegó Mateen era que Tinder iba a parecer «una broma» con una mujer de veinticuatro años entre sus miembros fundadores. «Entre los cofundadores de Facebook y Snapchat no hay mujeres», se justificó él tras la queja de Whitney Wolfe. Sean Rad lo aceptó y notificó a Wolfe que ya no tenía derecho a presentarse como tal y que, si no le gustaba, siempre podía marcharse.

Cuando la miro, no puedo evitar pensar en esa historia.

—¿De qué forma es Bumble una aplicación de citas feminista?

—No nos definimos necesariamente como una aplicación de citas feminista, sino como una aplicación en la que las mujeres tienen el poder. Solo ellas pueden iniciar la conversación con su *match*, en las veinticuatro horas siguientes. En las aplicaciones de citas clásicas, todas las mujeres han recibido al menos un mensaje agresivo, violento o vulgar. Algunos hombres envían ese tipo de mensajes porque se sienten abrumados por la relación asimétrica que reina entre hombres y mujeres en las aplicaciones clásicas. En ese contexto, los hombres tienen que llamar la

46. Rudy, Exelrod, Zieff & Lowe, «Complaints with exhibits», *Rezlaw.com*, 30 de junio de 2014 (en línea).

atención de las mujeres que reciben decenas de mensajes al día, y eso hace que algunos se vuelvan agresivos. Al sacar a los hombres de ese papel de cazador y dando el poder a las mujeres, ofrecemos condiciones favorables para fomentar una conversación más civilizada. ¡En Bumble no hay fotos de penes!

Tras privar a Whitney Wolfe de su título de cofundadora, Justin Mateen empezó a bombardearla con mensajes de texto, cuenta ella en su denuncia. También le impidió responder a entrevistas o solicitudes de la prensa. Cuando recurrió a Sean Rad, no se encontró con la ayuda que esperaba.

—No es fácil oírla hablar sin pensar en el trance que vivió en Tinder...

Intento sacar el tema.

—No quiero hablar de Tinder. Les deseo lo mejor, es todo lo que puedo decir.

—Judith, ¿tiene más preguntas sobre Bumble?

Vuelvo al redil sin rechistar y prosigo. Estoy hasta la coronilla de los asesores de comunicación y los jefes de prensa que ponen piedras en el camino.

Whitney Wolfe dimitió el 6 de abril de 2014. Varias semanas después, presentó una denuncia contra Justin Mateen por discriminación y acoso sexual, en la que evoca el ambiente que reinaba en la sede de Tinder: «Aunque es tentador describir la conducta de la dirección de Tinder simplemente como "de fraternidad", la realidad es mucho más grave; su actitud refleja los peores aspectos del estereotipo del macho alfa misógino a menudo asociado con las *start-ups* tecnológicas».

Cuando el asunto llegó a la prensa, Justin Mateen fue suspendido y terminó dimitiendo. Un portavoz del grupo IAC declaró: «Una investigación interna iniciada tras la denuncia ha demostrado que el Sr. Mateen ha enviado a Whitney Wolfe mensajes inapropiados. Condenamos rotundamente estos mensajes, pero seguimos creyendo que las alegaciones de la Sra. Wolfe contra Tinder y su gestión directiva son infundadas». Sean Rad fue apartado del cargo de CEO temporalmente. Volvió seis meses después.

En la actualidad, Sean Rad se ha marchado de Tinder y ha llevado a IAC a los tribunales junto con Justin Mateen y ocho empleados más. Acusan a la empresa de hacer que disminuya el valor de la aplicación deliberadamente y, por tanto, de perjudicarlos. Tras varios intercambios, Davidson Goldin, portavoz de Sean Rad y Justin Mateen, ha considerado que no se reunían las condiciones para responder a mis preguntas.

CAPÍTULO 15

¿El «corazón» de Tinder?

Abro el email en un ICE, el tren de alta velocidad alemán. En ese preciso instante, un auxiliar entra en mi vagón con una jarra llena de café. El olor me puede. Además, te regalan una minichocolatina Ritter Sport. Compro uno.

El email está firmado por Jessica Pidoux. Jessica es una doctoranda en Humanidades digitales de la politécnica de Lausana. Está escribiendo su tesis sobre los modelos científicos de los algoritmos de los portales de citas. Me escribió tras ver mi artículo de *The Guardian* porque quería incluirme en su investigación. Hoy me ha enviado lo que tiene sobre Tinder, que fue su trabajo de fin de máster. «Tiene gracia —pienso—, es un poco como yo, se aprovecha de sus citas para su trabajo de investigación.»

Ojeo su trabajo. El documento tiene veinticuatro páginas. Con el calor del tren y la flojera del domingo por la tarde, me da pereza. «Venga, Judith», me digo mientras me animo tras darle un sorbo al café ICE. La experta analiza el conjunto de la aplicación, explica cómo funciona con detalle y se detiene en el diseño de cada botón. De pronto, algunas de las palabras de Jessica me sacan de mi letargo: «Esto se puede observar en los algoritmos básicos de la aplicación». Y, como si se tratase de la entrada a un museo de renombre, la investigadora nos remite a la patente US 2018/0150205A1. Pero ¿esto qué es? ¿Desde cuándo podemos «observar» el secreto más secreto de Tinder, sus algoritmos?

Escribo la referencia en Google Patent, una versión del motor de búsqueda especializada en patentes, y descubro un documento en inglés de veintisiete páginas[47], en tipografía de cuerpo 8. En el campo «*inventors*» hay cinco nombres; dos de ellos son Sean Rad y Jonathan Badeen, dos de los fundadores. Se trata de una solicitud de patente titulada *Matching Process System and Method* presentada por Match.com, una de las compañías del megaconglomerado IAC, al que pertenece Tinder.

En un análisis de esta patente[48], Jessica Pidoux escribe: «En el caso de Tinder, la socialización está condicionada por el modelo patriarcal de las relaciones heterosexuales». Interesante…

Destripar este documento y verificar cada línea me va a llevar varios meses, pero valdrá la pena. La patente perfila

---

47. https://patents.google.com/patent/US9733811B2/en
48. «Toi et moi, une distance calculée. Les pratiques de quantification algorithmiques sur Tinder», *Livre des actes du colloque de Cerisy: Carte d'identités, l'espace au singulier*, julio de 2017.

un algoritmo que deja margen para favorecer que hombres de más edad contacten con mujeres jóvenes, menos pudientes y con menos estudios. Un algoritmo que también puede hacer que parezca que hay cierto azar en los encuentros de desconocidos, para así favorecer que estos crean en un destino compartido...

La primera publicación de esta patente se remonta a junio de 2009. En ella solo hay tres nombres en el campo «*inventors*»: Todd M. Carrico, Kenneth B. Hoskins y James C. Stone. Una nueva versión se publicó en octubre de 2013, con los mismos creadores. Una tercera apareció en marzo de 2014, con Sean Rad en la lista de creadores. En la de agosto de 2017, se les une Jonathan Badeen, otro de los fundadores de Tinder. La quinta versión de la patente, publicada en agosto de 2018, sigue incluyendo a Sean Rad y a Jonathan Badeen entre los creadores. Stephen Key, autor de *Sell Your Ideas With or Without a Patent*, explica: «Cuando se presenta una solicitud de patente, hay que pagar *maintenance fees*, gastos de mantenimiento, para que esta siga en vigor. Si un inventor deja de creer en su invención, deja de pagar». En este caso, Match.com renovó la patente durante varios años y añadió algunas modificaciones. Entre ellas, la aparición, a partir de 2014, del nombre «Tinder» en los diagramas del documento.

¿Por qué diablos Tinder se niega sistemáticamente a responder a preguntas sobre sus algoritmos y al mismo tiempo permite el libre acceso a una patente relacionada con su sistema de *matching*? «Cuando se acepta una solicitud de patente, esta se vuelve pública —explica David Pridham, CEO de Dominion Harbor Group, un despacho de abogados estadounidense especializado en la propiedad intelectual y las patentes—. La oficina de patentes considera que, si la invención se ha patentado, es útil para el público y todo el mundo tiene que poder acceder a ella. Si alguien quiere usarla, debe llegar a un acuerdo con los autores.»

En enero de 2017, Tinder, citando esta patente, presentó una denuncia contra Bumble en la que acusa a la competencia de haber copiado su diseño —en particular, el famoso *swipe*— y de haber violado los acuerdos de confidencialidad. Bumble, por su parte, pidió al tribunal que desestimase las acusaciones de Match.

Esta patente es, por tanto, un tragaluz a las entrañas de Tinder, ¡un tragaluz validado por dos de los fundadores de Tinder! Para mí, es como si una pepita de oro macizo hubiese sido abandonada en un rincón durante años. ¿A nadie se le ha ocurrido consultar este documento? ¿Cómo es posible? Taina Bucher es una investigadora de la universidad de Copenhague especializada en los algoritmos en la comunicación y ha escrito un artículo sobre este tema[49]. «El aspecto confidencial de los algoritmos se ha repetido en tantas ocasiones en los medios de comunicación que ha disuadido a muchos investigadores —explica—. Para la prensa, los algoritmos son "recetas secretas". De tanto repetirla, esta idea ha terminado por arraigar. Sin embargo, incluso sin saber leer código, estudiar las solicitudes de patentes permite hacerse una idea crítica de cómo funciona un programa.»

¿Qué podemos inferir de una patente? ¿Qué certezas extraer? «Estudiar las patentes solicitadas por una empresa

---

49. «Neither Black Nor Box: Ways of Knowing Algorithms», en *Innovative Methods in Media and Communication Research*, Springer International Publishing, 2016.

es la forma más rápida de conocer sus actividades y acercarse lo más posible a ella —resume el abogado David Pridham—. Facebook y Google se pasan el día leyendo las patentes de los demás.» Eso sí, una empresa puede presentar una patente y que esta nunca llegue a ser un producto. El experto Stephen Key señala igualmente: «Pero tus patentes indican qué dirección sigue tu empresa, el estado de ánimo general, el núcleo de tu plan de acción para el futuro».

A lo largo de todo el documento, los redactores de esta patente precisan, con precaución, que se trata de algo que «puede» hacerse. El documento aclara: «Sustituciones y alteraciones [del funcionamiento del sistema de *matching*] son posibles, sin que ello implique desviarse del espíritu y del alcance de las afirmaciones aquí formuladas».

Veamos, pues, cuál es «el espíritu» de Tinder.

Ya en las primeras páginas de la patente, descubro el acta de nacimiento del *swipe*, del deslizamiento, esquematizado en cuatro diagramas. Oh, el *swipe*, casi me olvido de que en otra época vivíamos en un mundo en el que no existía, antes de que lo copiasen todas las demás aplicaciones para ligar, de compras o de noticias. ¡También está el acta de nacimiento del *match*! ¡Es maravilloso! Veo ante mis ojos cómo nacieron las invenciones que han cambiado mi vida. Me entran ganas de leer todas las patentes, desde la de la electricidad a la de Facebook. A Roland Barthes le habría encantado sumergirse en estos «fragmentos de un discurso amoroso» en versión algorítmica, estoy segura.

Los autores explican por qué es preciso construir un «sistema de *matching*» para un portal de citas, y no dejarlo todo al libre albedrío de los usuarios:

Aunque algunas personas creen que la gestión de un portal de citas es tan simple como cruzar la oferta con la demanda, hay pruebas estadísticas y empíricas que sugieren que un portal de citas eficaz implica mucho más.

Un portal de citas eficaz implica mucho más. Vale. Pero ¿el qué? En primer lugar, hay que limitar los «contactos no deseados», o «solicitudes inoportunas», para evitar que «los usuarios con los perfiles más atractivos» dejen de usar el servicio. Esos «usuarios con los perfiles más atractivos» deben de ser las mujeres, ya que, como me explicó Louis, encargado de comunicaciones en Francia, a Tinder —y a todas las aplicaciones para ligar— le es más difícil «reclutar» a usuarias que a usuarios.

Una de las posibles utilidades que ofrece la patente es que, cada vez que se hace *match* con alguien, el servidor busca los perfiles similares a ese que te ha gustado para mostrártelos también.

El servidor también puede usar señales implícitas [...] con algoritmos de reconocimiento facial para detectar la etnicidad, el color de cabello, el color de ojos, etc., de los perfiles que han gustado al usuario.

¿Solo porque me gustó Husky, voy a ver a más chicos con ojos azules en Tinder?

El sistema escanea nuestras descripciones de perfil:

El servidor se puede configurar para buscar en los perfiles de los usuarios las palabras clave relativas a actividades o intereses. El servidor puede usar el análisis de palabras clave cuando busca e identifica *matches* para un usuario.

En resumen, si escribo «me encantan los gatos» en mi perfil de Tinder, tengo más posibilidades de que me muestren perfiles de hombres que mencionan a los gatos en el suyo. Esta información se compila después para darnos una nota de compatibilidad con otra persona. Ahora ya sé por qué he acabado harta de todas las bromas sobre Bla-BlaCar... ¡La app solo me presentaba a los forofos de los coches! Me río, pero recuerdo haber pensado que también coincidía con muchos aficionados a las motos. ¿Coincidencia o simple resultado de los algoritmos?

Cuantas más palabras clave tengan en común Harry y Sally, más posibilidades hay de que el servidor incluya el perfil de Sally en los resultados de Harry.

Me río sola cuando me doy cuenta de que los autores de la patente han dado nombres de personajes icónicos a los usuarios de ejemplo, la única pizca de imaginación del documento. En él nos encontramos a Clark Kent o, en este caso, a los protagonistas de la película *Cuando Harry encontró a Sally*[50].

La búsqueda de elementos en común no termina ahí. Tom Jacques, vicepresidente de ingeniería de Tinder, explicó en diciembre de 2018, durante una conferencia en Las Vegas, que la aplicación también usa la herramienta de reconocimiento visual de Amazon para identificar qué pueden tener en común los usuarios[51]. Los equipos de la aplicación se han dado cuenta de que no bastaba con ana-

---

50. Dirigida por Rob Reiner y estrenada en 1989.
51. «How Tinder creates better matches using AWS image recognition technology», *ComputerWorlduk.com*, 7 de diciembre de 2018 (en línea).

lizar los textos de los perfiles, pues algunos usuarios los dejan vacíos, y por eso Tinder ha adquirido Rekognition, una inteligencia artificial creada por Amazon para categorizar las fotos. Sales con una guitarra, pam, clasificado como «creativo». ¿Que estás escalando una montaña? Pam, «aficionado al aire libre». Todo para emparejar a las personas que tengan puntos en común. Cualquiera diría que estamos en Langosta[52]. En la película, a los solteros se les arresta y se les mete en un hotel en el que tienen cuarenta y cinco días para emparejarse. Si fracasan, los transforman en animales. Para que la pareja sea aceptada como tal, ambos deben tener algo «significativo» en común: una discapacidad, un parecido físico, una muletilla…

¿Y por qué no poner en contacto a personas que tienen cosas en común? Al fin y al cabo, si un algoritmo nos puede ahorrar años de búsqueda… Pero lo que viene a continuación es otro cantar.

Los autores de la patente explican que, para hacer que nazca una relación o el simple deseo de conocerse, puede ser útil una «creencia en el destino», ya que los humanos nos sentimos atraídos por los símbolos, especialmente en lo que concierne al amor.

El servidor se puede configurar para hacer que un perfil sea más atractivo para un usuario [llamado aquí «usuario 14»] subrayando las coincidencias de los perfiles, lo que da al usuario 14 la sensación de que ha intervenido el destino.

Obviamente, esas «coincidencias» no son casuales:

52. Dirigida por Yórgos Lánthimos y estrenada en 2015.

El servidor se puede configurar para buscar similitudes en los intereses, lugar de nacimiento, fecha de nacimiento, mes de nacimiento, año de nacimiento, universidad, nombre, apellido, nombre de usuario, responsabilidades parentales y palabras clave para identificar a los usuarios que podrían ofrecer a otros usuarios la idea de que los ha unido el destino.

Cuando el algoritmo detecta esas similitudes, se presentan dos opciones: mostrar al usuario los puntos en común observados o no mostrárselos. En el segundo caso, el objetivo es dejar que sea el usuario quien los descubra y así hacerle creer que es cosa del destino.

¿Tan previsibles e influenciables somos? El que hayan pensado que pueden jugar con nuestra «creencia en el azar» o nuestro «sentido del destino» («*sense of fate*») es fascinante. Es como si estuviera leyendo un manual de uso de los terrícolas escrito por extraterrestres... Me acuerdo de mis años de instituto, cuando mis compañeras y yo nos cambiábamos el apellido familiar por el del chico que nos gustaba para ver si «sonaba bien» y nos daba la risa si descubríamos que teníamos las mismas iniciales. ¡Tenía que ser una señal! ¿No hemos cambiado nada?

Leo una entrevista[53] al psiquiatra Robert Neuburger, autor de *Nuevas parejas*[54]. Según él, todas las parejas se construyen alrededor de un «mito fundador» según el cual «cada uno va en busca de coincidencias significativas que demuestren que su encuentro con el otro no es fortuito», que los dos han sido elegidos por el destino. Es verdad, yo

53. «Chaque couple se construit sur un mythe», *Psychologies*, 27 de julio de 2018.
54. *Nuevas parejas*, Paidós Ibérica, 1999. [*N. de la T.*]

también he hecho eso con todos mis pretendientes. «Oh, ibas allí de vacaciones y yo también, mi infancia entera, ¡y jamás nos cruzamos!» «¡Y pensar que de niños leíamos la misma revista!»

Miro a mi alrededor a todas las personas en el tren. Seguimos siendo niños. Unos niños grandes y frágiles que reescriben su historia con la ayuda de ideas fantasiosas; nos contamos los unos a los otros hechos completamente reinterpretados como para acariciarnos, para envolvernos en un relato fundador, concordante, protector. Esa pareja de ancianos de allí, ¿qué ficción se cuenta sobre su propia historia? ¿También a ellos les emociona tener las mismas iniciales? Miro a mis congéneres en el vagón y nos encuentro a todos a la vez conmovedores y previsibles, manipulables.

Escribo «Foule sentimentale» en YouTube para escuchar la canción de Souchon. Con su *«attirée par les étoiles, les voiles, que des choses pas commerciales»*[55] en los oídos retomo la lectura de la parte que alude a la posibilidad de una valoración según nuestra apariencia.

El servidor se puede configurar para analizar cuántas veces ha sido visto un usuario, así como cuántas veces ha aparecido en una lista de resultados con el objetivo de atribuirle una puntuación a su atractivo físico.

Ahí está, me imagino, la fórmula de mi *success rate*, de mi 55 %. La versión algorítmica del 5 sobre 10 de mis quince años.

De hecho, es como si siguiese imperando la ley del patio. Nos encaprichamos con las iniciales como un adolescente

55. «Atraída por las estrellas, las velas, todo lo no comercial.»

que garabatea en los márgenes de su cuaderno, mientras puntúan en secreto nuestro atractivo físico. ¿Por qué hacerlo? El documento dice:

Las personas con el mismo nivel de atractivo son más susceptibles de entenderse.

El sociólogo Jean-François Amadieu explica en *La Société du paraître* y en *Le Poids des apparences*[56] que ese es, en realidad, el caso. La homogamia en las parejas también tiene que ver con las apariencias. «La expresión "son tal para cual" se constata en la realidad.»

Tras nuestros intereses y nuestro nivel de belleza, somos susceptibles de ser evaluados según nuestra inteligencia:

El servidor de *matching* analiza factores como la media de palabras por frase, el número total de palabras de más de tres sílabas o el número de palabras usadas.

Para puntuarnos, los autores explican que se valen de tres test: Flesh Kincaid Reading Ease, Flesh Kincaid Grade Level y Gunning Fog Index (que aparece en la patente bajo el nombre Gunning Fox score). Los test Kincaid se inventaron en 1975 en la marina estadounidense para establecer el nivel de dificultad de un texto en inglés y el nivel de educación necesario para entenderlo. En el Reading Ease, cuanto más baja la puntuación, más complicado es el texto, en una escala que va, en teoría, de 0 a 100. La revista *Time*, por ejemplo, tiene 52 puntos, el nivel de un universitario. *Harry Potter*, 74, nivel de secundaria.

56. Odile Jacob, 2016 y 2002.

El Gunning Fog Index sigue un planteamiento similar. Desarrollado en los años cincuenta en el mundo editorial, establece también el grado de legibilidad de un texto. Suena como la Jornada de Defensa y Ciudadanía francesa, cuando nos obligan a hacer algunos ejercicios de matemáticas y un dictado para que el Estado francés pueda generar sus estadísticas del analfabetismo del país. ¿Acaso en Tinder nos toca hacer el examen todos los días, o qué? La patente explica uno de los posibles usos de estos test:

> Los análisis obtenidos pueden utilizarse para precisar el CI de un usuario, su nivel escolar o su estado emocional general.

El documento no precisa cómo se puede evaluar el estado emocional.

Tinder se reserva la posibilidad de estudiar nuestras características físicas, intelectuales, psicológicas, constantemente, como a los astronautas durante una misión. Solo hay una diferencia, y es que los astronautas son conscientes de ello.

Todas estas puntuaciones tienen una función interna. Permiten clasificarnos en distintos grupos o *pools*. Tinder dice que se basa en la geolocalización, pero la patente parece sugerir que podría reservarse el derecho de potenciar otras semejanzas entre los usuarios:

> El servidor se puede configurar para modular la nota extraída del análisis de la cercanía geográfica a tenor de otros factores; por ejemplo, el servidor se puede configurar para otorgar una puntuación que se corresponde a una distancia de diez kilómetros cuando la distancia real entre

el usuario 14 y el usuario A del grupo 30 es de cincuenta kilómetros, si tienen los mismos ingresos, la misma edad y el mismo nivel de estudios.

Dentro de ese grupo, los perfiles pueden estar de nuevo jerarquizados por otro algoritmo que distribuye las bonificaciones y las penalizaciones, para saber qué perfiles se van a mostrar al usuario cuando se conecte. «A los individuos no se les asigna un valor absoluto», escribe la investigadora Jessica Pidoux acerca de esta patente. Esas bonificaciones y penalizaciones están en constante fluctuación puesto que se calculan respecto a otro individuo, con el que nos comparan.

Para otorgar bonificaciones y penalizaciones, la patente sugiere que los perfiles se evalúen a partir de «criterios demográficos». Cada dato, como tu edad, tu profesión o tu nivel de ingresos, aporta puntos. Cuantos más puntos tengas, más probabilidades tienes de aparecer entre los primeros perfiles que se muestren a un usuario. Pero ¿realmente es un sistema tan neutro como parece?

El servidor se puede configurar para sopesar las diferencias y las similitudes demográficas según el sexo del usuario.

A continuación, lo que para mí es uno de los puntos más sorprendentes de la patente.

Solo a modo de ejemplo, imaginemos que Harry y Sally son dos usuarios registrados [...]. En este ejemplo, Harry tiene diez años más que Sally, gana 10.000 $ más que ella al año y tiene un máster, mientras que Sally solo tiene un grado. A pesar de las diferencias, el servidor atribuirá al perfil de Sally una puntuación alta que aumentará sus posibilidades de aparecer en la lista de resultados de Harry.

Por tanto, en este ejemplo hipotético, el que una mujer sea más joven, gane menos y tenga menos estudios que un hombre no impide que el algoritmo le dé una buena nota y la coloque en los cinco primeros perfiles del hombre. Coincidencia o algoritmo, yo soy más joven que Husky y Espejismo, y gano menos que ellos.

Entonces, ¿qué pasa cuando la mujer es superior, financiera y culturalmente hablando? La patente nos lo aclara:

> Sin embargo, si es Sally quien hace la búsqueda y el servidor evalúa el perfil de Harry, se puede obtener un resultado distinto. Así, si es Sally quien tiene diez años más, gana 10.000 $ más y tiene un máster, mientras que Harry solo tiene un grado, el servidor atribuirá una puntuación baja al perfil de Harry, con lo que tendrá menos posibilidades de aparecer en la lista de resultados que Sally.

Qué gracia. ¡¿No hay reciprocidad?! ¿Un hombre rico con una jovencita, sí, pero una mujer rica con un jovencito, no?

Parece que Tinder nos ha salido conservador. Eso es lo que sobreentiende la investigadora Jessica Pidoux en su análisis. Según ella, la patente parte «del modelo patriarcal de las relaciones heterosexuales». La universitaria añade: «Otro pasaje señala la importancia de la diferencia de edad vinculada al género, una *feature* que Tinder define como el *"gender-role traditionalism"*[57]. Con él se mide el atractivo de una persona a partir de su género y de su diferencia de edad respecto a su opuesto para ofrecer puntos adicionales a los hombres de más edad y a las mujeres más jóvenes».

Los autores no podían haber elegido mejores personajes que Harry y Sally para estos ejemplos. En la película, los dos son compañeros de facultad, pero los actores se llevan catorce años (Billy Crystal es mayor que Meg Ryan). En una secuencia, Sally llora vestida con un albornoz, inconsolable, tras un desengaño amoroso:

Sally: ¡Voy a cumplir los cuarenta!
Harry: ¿Cuándo?
Sally: ¡Algún día!
Harry: Dentro de ocho años.
Sally: Pero me están acechando. Están ahí esperándome como en un callejón sin salida. No es lo mismo para los hombres, Charlie Chaplin tuvo hijos a los setenta y tres años.
Harry: Sí, pero era viejo para darles el biberón.

Para justificar esta posible diferencia de tratamiento entre hombres y mujeres, la patente recurre a «estudios empíricos»:

El servidor se puede configurar de esta manera porque estudios empíricos muestran que estas diferencias demográficas no tienen el mismo efecto sobre las elecciones que hacen los hombres y las mujeres a la hora de emparejarse.

---

57. Tradicionalismo en la asignación de roles según el género.

La patente no ofrece una fuente para esos «estudios empíricos». Puede que Tinder se base en datos internos, o no, pero la realidad no los contradice. En Francia, según el instituto francés de estadística y estudios económicos (INSEE)[58], en una pareja heterosexual, la mujer tiene de media cuatro años menos que el hombre, y gana un 42 % menos[59].

Si el mundo funciona así, si las mujeres quieren un compañero mayor que ellas y que gane más, y los hombres, jovencitas, ¿por qué no darles lo que quieren? Al fin y al cabo, ¿qué problema hay con reflejar la realidad?

En mi opinión, si Tinder emplea esta parte de la patente, tiene un problema de transparencia hacia los usuarios.

Desde hace años, Tinder mantiene una imagen pública de empresa progresista. Por ejemplo, inició[60] en Change. org una petición para pedir la creación de un Emoji para «parejas mixtas», es decir, interraciales: «¿No va siendo hora de que el amor en cualquiera de sus formas esté, por fin, representado? [...] Entonces, tomémonos de la mano, unámonos y representemos con orgullo el amor en toda su diversidad», predica la petición.

Otro ejemplo, la aplicación se comprometió en marzo de 2018 con la lucha por la igualdad salarial entre hombres y mujeres, e invitó a los internautas a tuitear con el hashtag #TinderForEquality[61] (Tinder por la igualdad).

---

58. «L'homme est plus âgé que sa conjointe dans six couples sur dix», *Insee.fr*, 7 de abril de 2017 (en línea).

59. «Écarts de revenus au sein des couples, trois femmes sur quatre gagnent moins que leur conjoint», *Insee.fr*, 6 de marzo de 2014 (en línea).

60. «Le projet d'Emoji pour les couples mixtes», petición iniciada por Tinder en *Change.org*, febrero de 2018 (en línea).

61. «Tinder se une a la batalla por la igualdad», *blog.GoTinder.com*, 8 de marzo de 2018 (en línea).

También en 2017, Tinder lanzó una campaña para apoyar a las «mujeres bravas». En el comunicado de prensa[62] que lo anunciaba, podemos leer:

> Las mujeres de todo el mundo se rebelan contra las normas de la sociedad: superando barreras, rompiendo con tradiciones anticuadas y, en ocasiones, incluso violando la ley; todo ello en nombre de algo que los demás consideramos un derecho humano. Son atrevidas. Son valientes. Son la hostia. Tanto al escalar posiciones en su profesión como al dejar su marca con actos individuales de rebeldía, ellas son las abanderadas de los derechos de la mujer y luchan por todas nosotras.

Para ser una estrella de Tinder, ¿hay que ser James Bond, un macho alfa forrado al que le gustan las jóvenes? Será que lo que veo es un instrumento tradicionalista custodiado por una compañía con ínfulas progresistas. Como si bajo la apariencia de un Bernie Sanders se escondiera un Donald Trump...

¿Qué dice Tinder de todo esto? Durante cerca de un mes, entre enero y febrero de 2019, pude conversar, primero por teléfono y después por email, con dos personas. También intenté citarme con ellos durante una visita a California, sin éxito.

Mis interlocutoras han sido Agnes Gomes-Koizumi, directora de asuntos públicos de Tinder, y Justine Sacco, una de las portavoces de Match Group, la matriz de Tinder.

---

62. «Bravas mujeres del mundo, os saludamos», *blog.GoTinder.com*, 7 de marzo de 2017 (en línea).

Esta última es quien me ha facilitado las respuestas más detalladas.

En su primer email, recibido quince días después de mi primera petición de entrevista[63], Justine Sacco se lamenta de los plazos que hemos fijado:

> Teniendo presente su fecha límite de entrega, solo podemos concluir que ya ha enviado a sus editores la versión final de su libro sin nuestros comentarios, sin corroborar los datos de las patentes de nuestra aplicación ni de nuestro funcionamiento técnico, y sin hablar, tampoco, con alguien de primera mano, especializado en nuestra tecnología, durante su investigación y reportaje.

Añade: «No nos pronunciaremos al respecto [de sus preguntas]», pero precisa igualmente:

> Ha presentado una interpretación engañosa de esas patentes, del sistema de *matching* de Tinder, de la implementación de la patente en el portal de Tinder [...]. Nos preocupa que su libro pretenda hablar de nuestra tecnología y del corazón mismo de la experiencia Tinder sin ninguna intención real de que sea veraz o riguroso.

Después de ese email, propongo añadir nueve días adicionales, lo que hace que la nueva fecha límite sea más o menos un mes después de mi primer email. Además, aclaro algunas cuestiones e invito a Match Group a que me dé

---

63. Mi primera petición de entrevista se envió el 14 de enero a Tinder, y mi lista de preguntas detalladas, el 24 de enero. Justine Sacco me respondió por primera vez el 1 de febrero, lamentándose por la fecha límite de entrega de este libro. Decidimos añadir una prórroga hasta el 12 de febrero, lo que nos permitió volver a escribirnos.

su interpretación de la patente. Este es un extracto de mi respuesta:

> Sabemos que una patente no es una descripción exacta de un producto o de lo que pasa en los servidores de Tinder en la actualidad. Se trata más bien del «espíritu» de una empresa. [...] ¿Por qué Sean Rad o Jonathan Badeen, al leer esta patente en 2014 y 2018 (fechas en las que, respectivamente, adquieren el estatus de coinventores de la patente en cuestión), deciden dejar el ejemplo de Harry y Sally? ¿Cómo interpreta Match este ejemplo que pone de manifiesto que hombres y mujeres con un mismo salario y nivel de estudios podrían no ser evaluados de igual forma? ¿No es sexista evaluar a los hombres y las mujeres de forma diferente? [...] ¿Trata Tinder de la misma manera a hombres y mujeres?

En los dos emails que siguen, Justine Sacco me responde exigiendo un *off the record*, es decir, que no use sus respuestas en el libro. Declino su oferta pues, desde el principio, he pedido respuestas oficiales a mis preguntas. Reproduzco aquí su respuesta:

> El conjunto de frases y párrafos que ha citado anteriormente, y que nos ha pedido que comentemos, no tiene nada que ver con el algoritmo de Tinder. Por consiguiente, no podemos ofrecer un comentario al respecto. Cualquier declaración o insinuación es, por tanto, categóricamente falsa.

Por fin, una respuesta más precisa. Las secciones de la patente *Matching Process System and Method* que enviamos a Tinder, las que hemos reproducido en este capítulo, no se usarían, según Tinder, en la aplicación.

Recapitulemos. La aplicación para ligar más popular del mundo, Tinder, nos puntúa. A esta puntuación secreta es imposible acceder.

Gracias a la investigadora Jessica Pidoux, doy con una solicitud de patente de Tinder. Prueba de que la aplicación está usando, de una manera o de otra, esta patente es que Match Group, la matriz de Tinder, la presenta así en su denuncia contra Bumble[64]:

> A Match se le ha concedido una patente de uso, U.S. Patent No. 9,733,811 («patente 811»), llamada *Matching Process System and Method*, en relación con las innovaciones de funcionamiento que se plasman en las distintas versiones de la aplicación Tinder.

Me adentro en la patente, teniendo bien presente una cosa: puede que solo se aplique parcialmente. Pero un vaso medio lleno no deja de ser un rayo de luz en un lago completamente opaco.

Durante la lectura veo que varias secciones de la patente podrían entrar en contradicción con la imagen pública progresista de Tinder, así que hago las siguientes preguntas directamente a Tinder: las mujeres de más edad y los hombres jóvenes, ¿reciben una puntuación más baja y están, por tanto, en desventaja? ¿Puede Tinder crear una «sensación de azar falsa» en aras de un *match* más exitoso y duradero?

64. «Match Group v. Bumble», *Scribd.com*, 16 de marzo de 2018 (en línea).

Tinder, a través de una portavoz de Match Group, me responde que no entiendo nada, pero aclara igualmente que las secciones de la patente que he citado no son precisamente las que se usan. En ese caso, ¿por qué no responder simplemente a esas dos preguntas legítimas? «¿Qué pensáis de esos fragmentos problemáticos e inútiles? ¿Por qué siguen figurando en la versión de 2018 de la patente?»

En un artículo publicado en febrero de 2019 titulado *The Tinder algorithm, explained*[65], una periodista estadounidense escribe:

> Si algo sé del amor es que quienes no lo encuentran tienen una esperanza de vida menor. Lo que significa, extrapolándolo un poco, que aprender cómo funciona el algoritmo de Tinder es una cuestión de vida o muerte.

Sin llegar a tanto, un poco de transparencia no vendría mal. ¿Por qué no existe una autoridad que verifique que los algoritmos de la aplicación tratan a hombres, mujeres, gays, minorías, jóvenes y viejos por igual? ¿No tenemos derecho a saber? El 28 de febrero de 2018, el tribunal de apelación de California concluyó que la tarifa variable de Tinder Plus en Estados Unidos, que cambia según la edad del usuario (9,99 dólares para los menores de treinta años y 19,99 para los mayores), era discriminatoria.

Cuando se trata del corazón y de las entrañas de una aplicación tan popular, ¿quién verifica lo que pasa en ella? ¿Qué es el amor entre algoritmos, si no una caja negra?

---

65. Kaitlyn Tiffany, «The Tinder algorithm, explained», *Vox.com*, 7 de febrero de 2019 (en línea).

Eso es, una caja negra. Si consigues entrar en el interior con tu linterna, lo único que obtendrás por respuesta es: «No haremos ningún comentario sobre sus afirmaciones, pero ha de saber, igualmente, que todo eso no tiene nada que ver con nosotros».

Al menos he aprendido una cosa: que las posibilidades que se reserva la aplicación a través de su patente *Matching Process System and Method* me hielan la sangre. Si una patente presenta «el espíritu» de una empresa, aún me gusta menos. El amor entre algoritmos es un juego del que no conocemos las reglas.

De algo no hay duda, la fórmula de Tinder triunfa. En el segundo trimestre de 2018, Gary Swilder, el director financiero de Match Group, anunció que la aplicación insignia generaba en la actualidad ochocientos millones de dólares en volumen de negocio, dos veces más que el año anterior. Ahora bien, Tinder gana dinero sobre todo a través de las cuentas Premium, que permiten a los perfiles ganar visibilidad con *boosts*. Es decir, para escapar de las posibles desigualdades algorítmicas, para recibir una promoción dentro de tu grupo, o incluso salirte de él, ¿solo hay que pagar?

Me recuerda a una tesis que desarrolla Cathy O'Neil en *Armas de destrucción matemática: Cómo el big data aumenta la desigualdad y amenaza la democracia*. O'Neil explica que «los algoritmos son opiniones». Nunca son neutrales. «El concepto de neutralidad en sí mismo no existe. Lo que llamamos neutro es, en realidad, dominante», añade Rune Nyrup, investigadora del centro Leverhulme para el futuro de la inteligencia, en la universidad de Cambridge.

Cada día, se producen dos mil millones de *matches* en Tinder. La aplicación está presente en más de ciento noventa países y afirma estar detrás de más de un millón de citas a la semana[66]. ¡Un millón! El éxito de Tinder es indiscutible. Es una herramienta increíble. Tan increíble que los ingenieros de Tinder tienen ahora en sus manos un poder extraordinario, el de influir en la forma en que se conocen millones de personas, la forma en que se emparejan y se tejen los lazos.

Solamente hoy, solo esta noche, mientras escribo estas líneas, hay unas ciento cuarenta mil citas *made in* Tinder en marcha.

66. «Prensa y activos de la marca», *GoTinder.com* (en línea).

CAPÍTULO 16

Por última vez

Presiono el icono de la aplicación durante varios segundos. Me acabo de despertar y, como cada mañana, uno de mis primeros gestos es coger el teléfono. Creo que va siendo hora de desinstalar Tinder, ¿no? ¡Adiós, Tinder! Ya he aprendido que es mejor no esperar nada de ti.

Bueno. ¿Por última vez? ¿La última de verdad? Nadie lo sabrá. Me siento como un futuro exfumador que se echa el último a escondidas. Bah, es ridículo. ¿Por qué no hacerlo, si me apetece? Hace meses que no tengo una cita. Igual aprovecho para hacer una prueba. Le indico a la aplicación que busco hombres de veinticinco a cincuenta y cinco años. A pesar de ello, solo aparecen en la pantalla del teléfono hombres de treinta y cinco o treinta y seis años. Exactamente como decía la patente. Observo las imágenes. Algo debo de tener en común con todos esos hombres. ¿Las mismas iniciales? Uno de ellos se llama Jan. Cada vez que deslizo sobre un perfil, me imagino los cálculos que estará haciendo el servidor, rebuscando en mi grupo al que tenga la puntuación de compatibilidad más alta. Si me gusta, hay que volver a recalcular, los demás se le tienen que parecer. ¡Le ha gustado uno que toca la guitarra, busca artistas! Pero ese no, que solo tiene un grado y ella, un máster. Todos esos hombres han de tener algo MÁS que yo. Más dinero, más experiencia, más estudios.

Un perfil me hace reír: «Te prometo que no estoy completamente loco y que no envío *dick picks*», dice su descripción. Me pregunto por qué se me habrá vinculado con ese usuario. En ese momento mi frase de perfil es «*I am a mess too*», que podría traducirse por «Yo también estoy perdida». En una de sus fotos, está escalando en los Alpes. Yo también tengo una foto nueva en la que estoy en la montaña. ¡Ahí está nuestro punto en común! Hacemos *match*. Su primera frase me llama la atención: «¿Qué tal estás, Judith? En mi casa, la calefacción está rota y observo las nubes grises mientras bebo té. ¿Prefieres hablar alemán o inglés? Me temo que mi francés es malísimo».

Tengo ganas de responderle que me hace pensar en un poema en prosa de Baudelaire, «El extranjero»:

—¿A quién quieres más, enigmático? Dime: ¿a tu padre, a tu madre, a tu hermana o a tu hermano?
—No tengo padre, ni madre, ni hermana, ni hermano.
—¿A tus amigos?
—Utiliza usted una palabra cuyo sentido desconozco hasta ahora.
—¿A tu patria?
—Ignoro en qué latitud se encuentra.

—¿A la belleza?
—La amaría con gusto, diosa e inmortal.
—¿Al oro?
—Lo odio como usted odia a Dios.
—¿Pues qué amas entonces, raro extranjero?
—Amo las nubes... las nubes que pasan... allá arriba... allá
arriba ¡las maravillosas nubes![67]

De todos modos, viene en una antología de poemas que
me regaló mi padre cuando cumplí los dieciséis, y no quiero que ese recuerdo tan bonito acabe en los servidores de
Tinder. Además, si es un idiota, va a ensuciar mi historia y
responder con alguna estupidez. Se lo recitaré, un día, más
tarde, si nos conocemos en persona, si es agradable. Uf, ya
me estoy imaginando que quedo con él. ¡Y que es majo!
Maldita imaginación desenfrenada, ¡maldito romanticismo incorregible! Aunque ya no creo en los flechazos por
mensaje, en las conversaciones bonitas, románticas y espontáneas. Al final, vas a la cita con mariposas en el estómago, pero te lo has inventado todo. Seguro que es otro
infeliz que quiere encontrar «algo mejor en el expositor».
O que cree que soy genial, pero no se enamorará, «¿lo
entiendes?». Me siento como esos perros de la protectora,
muerdo porque necesito que me acaricien.

Prefiero bromear: «Ese té, ¿con o sin limón? Cuidado, solo una respuesta es válida y ¡no responderé si te equivocas!».

Descubriré más tarde que él enviaba la misma frase a
todo el mundo. «No lo entiendes, Judith, Tinder, para los
tíos, es algo muy distinto. Vosotras respondéis a todos los

---

67. Charles Baudelaire, *Obra poética completa*. Trad. de Enrique López Castellón.
Ediciones Akal, 2003. [*N. de la T.*]

que os escriben... Para nosotros, ¡es al revés! No podemos dedicarnos a buscar cómo personalizar lo que os decimos cada vez, hay que automatizar un poco.» Bah, entonces éramos perfectos desconocidos. «Además, lo que se dice por escrito no quiere decir nada. Alguien puede parecer interesante, divertido y, en la vida real, ser una pesadilla. No hay que creérselo todo.» Ya veo que no era la única con escudo.

Me responde al día siguiente: «Bebo el té con tres rodajas de limón. ¡Tendrás que aceptarlo! Pero hoy bebo café para que no te enfades». Después, deja de responder. Como me gustó lo de las nubes, retomo la conversación: «Vuelve, es muy pronto para decirse adiós». Eso le hace gracia. Le paso mi número de teléfono, para que me escriba por WhatsApp, Telegram u otra app. Después, desinstalo Tinder.

Ese viernes, ceno en casa de una amiga periodista. Sentada en el sofá, me duele la tripa de tanto reír. Encadenamos las botellas de vino y casi se le olvida servir la riquísima caponata que ha cocinado. Cuando él me escribe porque se aburre en la fiesta de Navidad de su oficina, no lo dudo, animada por mi buen humor. «¿Te apetece tomar algo por el barrio?» Quedamos en el bar de la esquina de mi calle, a la 1:15 de la madrugada. Como estoy cansada de citas chungas, pruebo con un juego. Le impongo mis reglas: prohibido hablar de nuestros trabajos, para evitar una conversación trivial y aburrida; prohibido llamarme después de esta cita. Le parece bien.

Voy andando, alegre; es viernes por la noche, empieza el fin de semana. Me escribe para decirme que ya está allí y le digo que vaya pidiendo. Mierda, no tengo suficiente cambio encima y, en Berlín, hay que pagar todo en efectivo. Creí que me daría tiempo a pasarme por el cajero. ¡Qué más da!

Camino del bar, me acuerdo de una historia que escribí hace tiempo sobre un gato que tenía una depresión crónica porque quería haber nacido tigre. No conseguía recuperarse de algo que, para él, era una humillación enorme. Todas las tardes se estiraba cuan largo era, enganchándose las garras en la moqueta gris y mullida de su apartamento, esperando así crecer al menos unos centímetros y mitigar su desasosiego. Después, cuando se daba cuenta de que todo seguía igual, lloriqueaba durante horas con un maullido lastimero e insoportable.

A su dueña, una mujer italiana que siempre llevaba las uñas pintadas de violeta, la *signora* Starnia, se le había metido en la cabeza hacerle olvidar la existencia de otros felinos. Arrancaba los carteles publicitarios del metro si salían tigres, militaba contra los circos y había pedido a Google que eliminase «tigre», «leopardo», «jaguar», «pantera», «puma», etc. Su solicitud había sido objeto de debate en California (el gato sabía leer, navegar por internet y coger el metro).

La conclusión de mi historia fantástica era que si los gatos son así de arrogantes es porque no saben que los tigres existen.

Pero, de pronto... Eso significa que yo, nosotros somos los tigres de la historia. Mi confianza aumenta gracias a esta revelación. Ningún algoritmo puede suavizar mi realidad; este es un juego real, con más desventajas.

Empujo la puerta del bar. Lo busco con la mirada. Tiene pecas en las mejillas, los ojos verdes y barba. Es guapo, guapísimo. Siento una ligera aprensión.

Sacudo la cabeza como para quitármela de encima, como se sacude una alfombra para quitarle el polvo. Recuerda, Judith, no hay por qué tener miedo. Tú eres el tigre. La cabeza bien alta. Incluso ante un tío que ha elegido Tinder, tú eres la que mandas. La verdadera reina de la selva.

Soy yo, y eres tú.

AGRADECIMIENTOS

A Goutte d'Or, los mejores editores del mundo: Clara Te-llier-Savary, Geoffrey Le Guilcher y Johann Zarca.

A los revisores Franck Berteau y Lucie Geffroy, y al tra-ductor Anatole Pons.

A Alice Andersen, Christophe Bigot, Clément Buée, Au-rélie Carpentier, Nico Diaz, Dominique Martel y Anna Wanda Gogusey.

A Jonathan Haynes y Samuel Gibbs de *The Guardian* por darme una oportunidad.

A Figaro por enseñarme la profesión (¡y a aguantar bien el alcohol!).

A Paul-Olivier Dehaye por sus conocimientos, su seguri-dad y su pugnacidad.

A Jessica Pidoux por haberme guiado con tanta preci-sión durante la investigación.

A Nicolas Kayser-Bril.

A todas las personas que he entrevistado para este libro.

A las Journalopes por su apoyo incondicional.

A Moritz.

A Pioums, Béné, Roxane, Eva y Léa, que creen en mí desde el parvulario (¡o casi!).

A Berlín, sus perros y sus cafés, donde aún podemos ir a trabajar con nuestro portátil.

Y a mi madre, el mejor ejemplo de mujer libre (¡pero tampoco le dejo que lea este libro!).